CAHIERS DU CENTRE JEAN BÉRARD, X

RECHERCHES SUR LES CULTES GRECS ET L'OCCIDENT, 3

IL TEMPIO DI AFRODITE DI AKRAI

Ouvrage financé
par la Direction Générale des Relations Culturelles
du Ministère des Relations Extérieures

con il contributo
dell'Amministrazione Comunale
di Palazzolo Acreide (SR)

L. BERNABÒ BREA

IL TEMPIO DI AFRODITE DI AKRAI

Introduction de G. VOZA

RECHERCHES SUR LES CULTES GRECS ET L'OCCIDENT, 3

CAHIERS DU CENTRE JEAN BÉRARD, X

Naples, 1986

Diffusion des publications:

L'ERMA di
Bretschneider
Via Cassiodoro, 19
00193 Roma

G. Macchiaroli
Via Carducci, 55
80121 Napoli

R. Habelt
Am Buchenhang, 1
5300 Bonn

Les Belles Lettres
95, bd Raspail
75006 Paris

Luigi Bernabò Brea si era già occupato di Akrai con una monografia pubblicata dalla Società di Storia Patria per la Sicilia Orientale nel 1956. Egli vi aveva lavorato soprattutto nei tempi difficili del periodo bellico, quando impossibilitato a studiare i materiali del Museo Archeologico di Siracusa interamente conservato in casse, non potendo condurre ricerche di alcun genere sul terreno, rivolse la Sua attenzione al complesso monumentale di Akrai. «Mi resi conto, Egli scrive nella premessa alla monografia, di quanto sarebbe stato interessante lavorare intorno ad esso, anche senza nuovi scavi, solo per ripresentare alla luce del progresso scientifico moderno quei monumenti che non erano stati fatti oggetto di uno studio di dettaglio o che erano stati illustrati dottamente, ma ormai in tempi troppo remoti dall'Iudica, dal Serradifalco, dallo Schubring».

Ora, in un periodo sereno e particolarmente fecondo della Sua produzione scientifica lo Studioso torna ad occuparsi di un monumento di Akrai per «pagare un debito» come suole dire.

In effetti questi due avvenimenti sono segno di predilezione, di amore per il sito archeologico di Akrai, al quale Egli certamente avrebbe voluto dedicare più tempo della Sua pure intensissima attività di esploratore e di studioso.

Ne sono sicuro perchè quando più onerosa fu la Sua attività di Soprintendente e vieppiù intensa quella di studioso che lo teneva attento soprattutto alle vicende storiche e preistoriche dell'arcipelago eoliano, non mancò mai di additare ai Suoi più stretti collaboratori scientifici, Akrai, come punto di riferimento primario e ottimale per un'indagine archeologica sistematica e moderna nel territorio di Siracusa. Certo il tipo di sito che, al pari di pochi altri in questa parte della Sicilia, non registra presenze edilizie moderne, tranne qualche raro casolare o qualche vecchia neviera, la sua importanza particolare nel quadro della politica espansionistica di Siracusa nel VII sec. a.C., la possibilità di lettura e di esplorazione delle aree quasi del tutto incontaminate non solo relative alla zona urbana dell'antica subcolonia siracusana, ma anche al territorio suburbano, le testimonianze così ricche e prestigiose portate alla luce già dai tempi di Gabriele Iudica, tutti questi aspetti hanno tenuto e tengono sempre desta l'attenzione di chi vede in essi la premessa più favorevole per una ricerca archeologica.

Infatti si rivelarono immediatamente preziosi i saggi di scavo che sotto la guida di Paola Pelagatti, la Soprintendenza condusse in quel sito, già nel 1963-1965, saggi che eseguiti nel cuore dell'area urbana antica resero dati di grande importanza non solo per lo studio delle fasi di vita più antiche della città ma anche per l'identificazione del suo principale asse stradale.

Questi dati furono messi a frutto per le indagini che dal 1969 in poi vi ha condotto in vari periodi chi scrive. E così oggi abbiamo idee abbastanza precise circa l'organizzazione e lo sviluppo della maglia stradale urbana di Akrai, ne è stata rilevata la singolarità di impianto, che, al pari di quella presentata dalla seconda subcolonia di Siracusa, Kasme-

nai, rappresenta uno dei punti di riferimento più significativi nella problematica dell'organizzazione degli impianti urbani di epoca arcaica.

Ora il lettore si renderà conto della rilevanza di questo lavoro di L. Bernabò Brea sullo scavo dell'Aphrodision da lui eseguito nel 1953 con la collaborazione di Clelia Laviosa, soprattutto per i dati che esso rende agli studi relativi all'architettura templare siceliota in generale, ma, più in particolare, a quella officina architettonica siracusana cui Giorgio Gullini ha di recente dedicato attenti ed acuti contributi. Ma, al di là di questa pur rilevante utilità lo studio che qui si presenta è la premessa migliore e un invito ormai inderogabile a continuare le indagini nell'area praticamente inesplorata immediatamente intorno al tempio, indagini volte alla ricerca di tutti quegli elementi che possano aiutare a definire non solo le caratteristiche architettoniche del monumento ma anche l'organizzazione dell'area sacra di cui esso era epicentro e il culto in esso praticato.

Sono indagini che ora possono essere affrontate dal momento che si è finalmente pervenuti all'acquisizione al demanio della quasi totalità dell'area urbana antica e in particolare di quella che si aggrega intorno all'area già portata alla luce dagli scavi, finora eseguiti, offrendo così le migliori premesse per la costituzione di un parco archeologico di primaria importanza nella Sicilia Orientale.

Anche in riferimento a questo salutiamo lo scritto di Luigi Bernabò Brea come segno di tempi nuovi per le ricerche archeologiche acrensi.

SIRACUSA, Gennaio 1986.

Giuseppe Voza

La redazione di questa nota preliminare a tanti anni di distanza dallo scavo è stata possibile grazie al valido aiuto offertomi dal Dott. Giuseppe Voza, mio successore nella direzione della Soprintendenza Archeologica di Siracusa, che ringrazio vivamente.

Mi è stata preziosa la collaborazione di Francesco D'Angelo, non solo per la rigorosa revisione e il completamento dei rilievi eseguiti al momento dello scavo, ma anche per i notevoli contributi da lui portati all'interpretazione dei resti monumentali.

Devo viva gratitudine agli amici dell'Istituto di Studi Acrensi, al suo presidente Dr. Tonino Grimaldi, al Prof. Corrado Allegra che ha eseguito per me l'eccellente documentazione fotografica del tempio nel suo stato attuale e degli elementi superstiti della sua architettura e della sua decorazione; al Dott. Lorenzo Guzzardi della Soprintendenza Archeologica di Siracusa, per le rimanenti fotografie e all'Ing. Fazio per la quotazione dei rilievi.

A tutti esprimo i miei ringraziamenti.

LA SCOPERTA DEL TEMPIO E APPROCCIO AD ESSO

La scoperta del tempio

I resti del tempio di Afrodite dell'antica Akrai vennero in luce nel 1953 quando la Soprintendenza alle Antichità della Sicilia Orientale, che io allora dirigevo, stava eseguendo, con finanziamento della Cassa per il Mezzogiorno, un complesso di opere intese al consolidamento, al restauro, al miglioramento della sistemazione monumentale delle vestigia dell'antica città greca, e che, subordinatamente, prevedeva anche nuovi scavi.

Il complesso dei monumenti acrensi infatti si presentava più o meno ancora come lo aveva lasciato il Barone Gabriele Judica, che con i suoi scavi dei primi decenni del XIX secolo lo aveva riportato in luce (1).

Lo studio di questi monumenti che io avevo intrapreso fin dal momento in cui, alla fine del 1941, ero stato chiamato a reggere la Soprintendenza siracusana, mi aveva reso evidente che vi era ancora molto da fare intorno ad essi, sia dal punto di vista della ricerca archeologica vera e propria, al fine di chiarire i problemi relativi alla loro struttura, alla loro datazione, al loro inserimento nel complesso urbano di cui facevano parte, sia dal punto di vista della loro conservazione e sistemazione ai fini turistici.

I molti impegni inerenti alla carica di Soprintendente mi rendevano impossibile dirigere personalmente questi lavori. Ne affidai pertanto la direzione alla Dott. Clelia Laviosa.

I nostri primi interventi riguardarono i monumenti già noti: il teatro, il bouleuterion, le latomie urbane, quelle del versante orientale note come «tempi ferali» e il santuario rupestre di Cibele («Santoni»).

Dei risultati conseguiti attraverso questa prima serie di interventi potemmo ancora tenere conto nella monografia *Akrai* che già da tempo stavo preparando e che allora, attraverso molte difficoltà e traversie, stava finalmente per andare in stampa (2).

Solo dopo questi primi interventi, di cui ho avuto la possibilità di rendere noti i risultati, affrontammo, la Dott. Laviosa e io, nuove esplorazioni nell'area dell'antica città, soprattutto al fine di renderci conto di quello che poteva essere l'impianto urbano di essa, impianto di cui ancora nulla si conosceva. Scegliemmo per questa esplorazione la zona più elevata dell'Acremonte, che sovrasta non solo le latomie, il teatro e il bouleuterion, ma anche quella che appariva fin da allora la probabile sede dell'agorà (Fig. 1).

---

(1) G.JUDICA, *Le antichità di Acre, scoperte, descritte ed illustrate,* Messina, 1819 (Riproduzione anastatica a cura dell'Istituto di Studi Acrensi, 1984).

— ID., *Lettera del Barone Gabriele Judica al Sign. D. Agostino Gallo, Giornale di scienze e lettere per la Sicilia,* tomo V, anno II, Palermo, 1824, pp. 74-76.

— J. SCHUBRING, *Akrai - Palazzolo, Eine topographisch archaeologische Skizze, Jahrbuch für classische Philologie,* Supplementband, IV, 1867.

(2) L. BERNABÒ BREA, *Akrai* (con la collaborazione di G. PUGLIESE CARRATELLI e C. LAVIOSA), Catania, 1956 (cit. in seguito *Akrai*).

Consideravo infatti probabile che questa zona elevata e dominante avesse costituito una specie di acropoli sacrale della città e che qui, piuttosto che altrove, potessero essere esistiti i maggiori santuari.

Tracciammo sul pianoro di questa acropoli una ampia quadrettatura, alla quale si potessero riferire tutti i rinvenimenti che si sarebbero fatti, ed aprimmo il 13 luglio 1953 le prime trincee a cominciare dal punto più vicino al margine delle latomie sottostanti e al punto trigonometrico corrispondente alla quota 770.

Le nostre attese non furono deluse perché fin dai primi giorni di scavo, il 20 luglio, le trincee incontrarono i resti del tempio.

Ovviamente intorno ad esso si concentrò il lavoro e nel corso di poche settimane (entro il 18 agosto) ciò che restava del monumento era messo interamente in luce (3).

Lo scavo del monumento stesso poté essere completato, ma fu allora impossibile estendere le ricerche all'intorno di esso per scoprire tutta l'area sacra (il témenos), nella quale il tempio veniva a trovarsi, e per chiarire come questa area sacra si inserisse nel complesso urbano della città antica.

Che questa estensione dello scavo intorno al tempio fosse parte integrante e inderogabile della ricerca appariva tanto più evidente in quantoché proprio a poca distanza dal basamento del tempio, in una delle nostre prime trincee di saggio che avevano portato alla sua scoperta, era stato rinvenuto un blocco della cornice terminale (geison) (Figg. 33-35). Si poteva sperare che altri blocchi importanti per una ricostruzione ideale dell'elevato del tempio esistessero all'intorno, riutilizzati nelle strutture delle povere casupole di età tarda, romano-bizantina, che erano sorte nell'area sacra dopo la sua rovina e il suo abbandono.

Purtroppo questa estensione delle ricerche non fu possibile, essendo stata chiamata ad altri incarichi la Dott. Laviosa.

La ripresa degli scavi dell'Acremonte restò per molti anni nei programmi o meglio nei sogni della Soprintendenza, ma l'incalzare di problemi sempre nuovi ed urgenti e la mancanza di collaboratori a livello scientifico resero impossibile questa ripresa, che resta dunque compito delle nuove generazioni. Appunto a causa di questa incompletezza dell'esplorazione rimaneva difficile la pubblicazione, che fu pertanto lungamente rinviata.

L'identificazione dell'Aphrodision

Che il tempio scoperto sia l'Aphrodision non pare dubbio. Afrodite ci appare infatti, attraverso le epigrafi pervenuteci, come la principale divinità venerata ad Akrai e ad

---

(3) Brevi accenni alla scoperta del tempio in *Akrai*, p. 29, nota 1.

essa si riferisce un notevole numero di dediche votive (4), costituenti un complesso unitario, provenienti dagli scavi fatti da Gabriele Judica nell'area urbana sottostante ai resti del nostro tempio, dall'area stessa cioè dalla quale provengono (quasi certamente attraverso i suoi scavi) i molti frammenti architettonici che si conservavano nelle latomie acrensi sottostanti al tempio e che oggi noi possiamo attribuire al tempio stesso. È d'altronde questa, nell'area urbana di Akrai, l'unica zona che sia stata oggetto di scavi archeologici nel secolo scorso. È quindi ovvio che il santuario di questa dea fosse situato nella posizione più dominante, al di sopra del quartiere dell'agorà, del centro cioè della vita civica ed economica di Akrai.

L'Aphrodision è ricordato in quella importantissima iscrizione rinvenuta dallo Judica e ripubblicata dal Pugliese Carratelli (5) che ci conserva un catasto dei *them[èlia]* (6) e cioè delle aree edificabili (o edificate) nell'ambito urbano, ponendo queste aree edificabili in rapporto con elementi caratteristici della topografia della città.

In questa iscrizione si menzionano tre templi: l'Aphrodision, l'Artemision e il Koreion. Ma i due *themelia* in rapporto con l'Aphrodision sono situati al di sotto di esso e ciò lo fa pensare in posizione elevata. Dobbiamo quindi immaginare questi *themelia* situati nel pendio che dalla terrazza del tempio scende verso Est.

Invece dei nove *themelia* posti in rapporto col Koreion cinque sono situati al di sopra, uno dietro e uno sotto di esso. E ciò sembra ovviamente indicare che il Koreion fosse situato in basso sul pendio, forse sulla via che portava ai campi e alla necropoli.

Circa l'Artemision, esso compare due sole volte nella iscrizione a proposito di *themelia* che sono situati «presso» di esso. Non abbiamo peraltro finora alcun indizio sulla sua posizione nell'area urbana.

Che cosa resta del tempio

L'Aphrodision doveva essere già in rovina nell'antichità, se frammenti architettonici riferibili a edifici del santuario erano riutilizzati nelle murature di povere casupole di età tarda sorte in quella che era stata l'area sacra e forse sulle stesse rovine del tempio.

---

(4) G. PUGLIESE CARRATELLI, *Silloge delle iscrizioni acrensi*, in *Akrai*, pp. 151, segg. nn. 5, 6, 7, 13 (*I. G.* XIV, 210, 211, 209) e probabilmente 8 e 10 (*I. G.* XIV, 212 e 213), mentre la 9 (*I. G.* XIV, 208) è una dedica a Hera e Afrodite.

(5) JUDICA, *op. cit.*, p. 55, tav. V.

— *Corpus Inscriptionum Graecarum*, III, ed. I. FRANZ, Berlino, 1853; n. 5430.

— *Inscriptiones Graecae*, XIV, *Inscr. Gr. Siciliae et Italiae* ... ed. G. KAIBEL, Berlino, 1890, n. 17.

— U. SICCA, *Grammatica delle iscrizioni doriche della Sicilia*, Arpino, 1924.

— V. ARANGIO-RUIZ e A. OLIVIERI, *Inscriptiones Graecae Siciliae et infimae Italiae ad jus pertinentes*, Milano, 1925, pp. 62 segg.

— G. PUGLIESE CARRATELLI, *Silloge delle iscrizioni acrensi*, in *Akrai*, p. 152, n. 2. Cfr. L. BERNABÒ BREA, ivi, pp. 177-179.

(6) Nell'iscrizione ricorre costantemente il termine abbreviato ϑεμ che il Kaibel proponeva di reintegrare in ϑεμα. Più probabile è la reintegrazione in ϑεμέλιον accolta dal Pugliese Carratelli, per la quale cfr. ARANGIO-RUIZ - OLIVIERI, *op. cit.* p. 66, segg.

I blocchi squadrati del suo elevato e del suo stesso basamento (stereobate) erano stati asportati ad uno ad uno nel corso dei secoli, forse per la costruzione della Palazzolo risorta in età normanna sulle rovine dell'antica Akrai distrutta dagli Arabi; forse per la ricostruzione della città dopo il terremoto del 1683.

Ma il saccheggio si era prolungato fino ad età recente, se nell'archivio della Soprintendenza si conservano documenti relativi ad interventi per arrestare l'asportazione di blocchi nel 1874 e nel 1932.

Ma anche quel pochissimo che ancora ne resta è di grandissimo interesse e ci permette non solo di renderci conto delle dimensioni del tempio, ma anche di riconoscere almeno le linee essenziali della sua planimetria.

I Greci per costruire un tempio, fondato sulla viva roccia come l'Aphrodision di Akrai, non creavano una platea unitaria, ma predisponevano fondazioni per le singole strutture dell'elevato e quindi i tagli stessi della roccia per l'impostazione di queste fondazioni rispecchiano la planimetria del tempio. I lembi di roccia interposti fra i singoli tagli di fondazione conservano ancora intatta la superficie naturale. È ovvio che questi spianamenti di fondazione fossero alquanto più larghi delle strutture di elevato che su di essi si basavano.

Peraltro il livello a cui scendono questi tagli di fondazione non è uniforme, ma in rapporto con la qualità della roccia nei singoli punti. Si volevano raggiungere strati di roccia perfettamente compatti e la tenera roccia calcare dell'Acremonte in superficie è tutt'altro che uniforme. Vi sono punti in cui la roccia compatta affiora in superficie e punti vicini in cui infiltrazioni delle acque meteoriche l'hanno corrosa per l'altezza di alcuni metri.

Nell'area del tempio la roccia era perfettamente compatta fino al piano di campagna solo in corrispondenza con l'angolo NE. Qui i Greci si sono limitati a levigare la superficie. Il punto in cui invece la roccia si presentava più corrosa corrispondeva all'angolo NO, dove i tagli di fondazione sono scesi ad una profondità di m. 1,66 rispetto al livello dell'angolo NE.

Là dove la roccia mancava, dove cioè i tagli di fondazione erano scesi a maggiore profondità, si dovevano evidentemente collocare dei filari di blocchi accuratamente disposti, ben connessi fra loro e ben connessi col gradino formato dal taglio della viva roccia, al fine di creare delle superfici perfettamente livellate ad ogni singolo filare. L'approfondimento del taglio della viva roccia inteso a raggiungere gli strati compatti procedeva infatti per gradini successivi, ciascuno di altezza pari a quella che era l'altezza normale di un filare di blocchi, e cioè di circa cm. 45-50.

Ad ogni livello quindi si aveva una parte del piano di base formato dalla viva roccia spianata ed una parte formata invece da blocchi di riporto e questa naturalmente diventava via via sempre più ampia quanto più si saliva verso l'alto.

Osserviamo che ad ogni singolo livello, prima di procedere all'impostazione di un nuovo filare di blocchi, tutta la superficie della fondazione veniva levigata e livellata a maranzano (7), sicché il nuovo filare di blocchi veniva a posare su un piano perfettamente uniforme.

---

(7) Il maranzano è una specie di pialla con cui gli scalpellini e gli scultori siracusani raschiano la superficie del calcare tenero.

14

Si poneva molta attenzione a che i giunti fra i singoli blocchi del nuovo filare non coincidessero con quelli dei blocchi del filare sottostante, ma che al contrario cadessero a metà circa di essi.

Piccole buche sulla superficie dei blocchi conservati sono state fatte dalla punta del palanchino con cui si spingevano i blocchi del filare sovrastante a perfetto contatto con quelli messi già in opera.

Ma c'è di più. Almeno a partire da un certo livello di fondazione, sul piano perfettamente levigato che era stato creato venivano riportate a sottile incisione le linee della planimetria di quella che sarebbe stata poi la costruzione dell'elevato sovrastante. Si controllava cioè la perfetta corrispondenza della fondazione con il progetto dell'elevato.

Queste sottili linee di guida sui singoli filari sono almeno in parte ancora perfettamente riconoscibili sui blocchi di riporto che, almeno nei filari più bassi, si conservano ancora in posto per larghi tratti. Esse dovevano senza dubbio corrispondere a quelle che sarebbero state le misure del tempio all'euthynteria, e cioè al coronamento visibile dello stereobate.

Un accurato esame di queste fondazioni ci fornisce dunque già molti dati relativi alla planimetria del tempio nel suo elevato, ma ci permette anche di riconoscere incertezze e pentimenti nell'impostazione dell'opera.

Ci accorgiamo che il lavoro ha inizio dalla fronte orientale del tempio, dal punto cioè nel quale la roccia compatta affiorava sul piano di campagna.

Lo spianamento della superficie rocciosa in questo punto è stato rifatto due volte, con orientamento lievemente diverso.Il taglio frontale di esso si presenta infatti sensibilmente obliquo rispetto a quello che è stato l'orientamento definitivo del tempio, ed è stato poi corretto. Non sappiamo da che cosa dipendesse questo pentimento. Non sappiamo cioè se l'orientamento del tempio dovesse rispondere a canoni astronomici per ragioni rituali o se invece vi fossero ragioni pratiche, di inserimento in quello che era il tracciato dell'impianto urbano della città. Impianto che con tutta probabilità risaliva alla fondazione stessa della colonia siracusana, e cioè al 664/63 a.C., e che quindi esisteva già da più di un secolo quando il tempio è stato costruito. Solo quando l'orientamento della fronte è stato esattamente quello voluto si è proceduto ad estendere i tagli di fondazione a tutta l'area del tempio come da progetto (Fig. 18).

Osserviamo ancora che nell'angolo NE, nel punto cioè in cui lo spianamento di fondazione corrisponde quasi al piano di campagna, le irregolarità della superficie naturale della roccia ed alcuni spuntoni affioranti indicano che doveva esservi ancora almeno un altro filare di blocchi di fondazione prima che iniziassero le strutture di elevato destinate ad essere in vista e cioè il primo dei tre gradini che normalmente costituiscono la parte visibile del basamento (stereobate).

Abbiamo detto che questo basamento è stato per secoli cava di blocchi squadrati, sicché relativamente pochi sono i blocchi superstiti di esso ancora in posto. Potremmo dire solo una parte di quelli dei filari più profondi delle fondazioni.

Per l'estrazione di questi blocchi il terreno è stato largamente sconvolto e sono state cancellate quindi quelle testimonianze che avrebbero potuto essere di grandissimo interesse per la datazione del tempio; testimonianze costituite soprattutto dai frammenti di ceramiche contenuti nel terreno al momento della costruzione o penetrati negli interstizi fra il taglio della roccia e i filari di blocchi delle fondazioni. Purtuttavia qualche piccola ma importante documentazione a questo fine ha potuto essere raccolta e dovrà essere fatta oggetto di studio accurato.

Procediamo ad una accurata descrizione di ciò che resta del tempio, analizzando dapprima le fondazioni della peristasis e successivamente quelle all'interno della cella.

Queste testimonianze sono costituite, come abbiamo detto, da tagli a gradini successivi della viva roccia, ciascuno dell'altezza corrispondente a un filare di blocchi, intesi ad eliminare la roccia degradata e a raggiungere quella assolutamente integra. Ciascuno di questi gradini era poi completato con blocchi di riporto, sì da raggiungere a ciascun livello un piano perfettamente livellato.

Numereremo quindi ciascun gradino (formato in parte da spianamento della roccia, in parte da blocchi di riporto) con numeri in negativo, partendo dal punto più elevato.

Le fondazioni della peristasis (Figg. 5-8; 14-17)

Il punto in cui i resti superstiti del tempio sono a quota più elevata sono proprio nell'angolo NE, non solo perché qui più elevato che in qualsiasi altro punto è lo spianamento della roccia, ma anche perché su questo spianamento di fondazione si conservano in situ due blocchi, unici superstiti del filare che su questo spiananamento era impostato.

La superficie di questi blocchi è corrosa ed incisa dal secolare lavoro dell'aratro, dato che veniva a trovarsi quasi affiorante. sul piano di campagna (Fig. 5).

Ma per quanto elevata sia la posizione di questo filare di blocchi, è da escludere che esso potesse corrispondere al filare visibile delle fondazioni, che esso cioè corrispondesse già al primo dei gradini dell'elevato. Vi sono infatti tutto intorno, verso Nord e verso Est, spuntoni della viva roccia ancora alquanto più elevati. Ed è ovvio che il suolo costituito da uno strato terroso oggi scomparso da cui sporgeva il monumento doveva essere piano, senza spuntoni di roccia in cui si potesse incespicare. Vi doveva essere quindi al di sopra di questo primo filare conservato, attestato da quesa coppia di blocchi, ancora un altro filare di fondazione per arrivare al primo gradino.

I due blocchi conservati nell'angolo NE corrisponderebbero dunque al primo filare di fondazione (destinato a non essere in vista) partendo dall'alto.

Chiamiamo livello — 1 il loro piano di posa.

Questo spianamento a livello — 1 dell'angolo NE si estende per soli m. 5,60 in senso E-O e per m. 7,50 nel senso N-S, in quella cioè che è la fronte orientale del tempio.

Ma qui si inserisce frontalmente in esso una serie di sette blocchi paralleli, ivi collocati perché evidentemente la roccia lungo questo margine non appariva sufficientemente compatta.

Sulla superficie del penultimo (da Nord) di questi blocchi, lievemente più lungo di tutti gli altri, si riconosce con evidenza la linea che doveva guidare la collocazione dei blocchi del filare superiore.

17

Uno scalino di m. 0,50 scende al livello — 2 a cui si trova tutto il rimanente tratto del lato frontale E e un buon tratto (più di 1/4) dell'adiacente lato lungo S.(Figg. 6,7).

Questo livello — 2 è ottenuto solo in piccola parte con lo spianamento della viva roccia; per estensione molto più vasta esso corrisponde alla superficie di una compatta platea di blocchi che si basano su una superficie levigata della roccia portata al livello — 3. È questo uno dei pochi tratti, e comunque di gran lunga più esteso, nei quali i blocchi delle fondazioni siano sfuggiti al sistematico saccheggio.

I primi cinque blocchi al centro della fronte Est sono inseriti nel gradino della roccia, così come lo erano i sette del gradino superiore. Più a Sud la roccia è tagliata e l'intero spessore della fondazione è formato da una duplice serie di blocchi, perfettamente aderenti fra loro, tutti collocati con asse maggiore in senso E-O, perpendicolare cioè all'andamento del muro (undici coppie). Identica struttura presenta il primo tratto adiacente del lato lungo Sud, dove restano in posto tredici coppie di blocchi (Fig.8).

La perfetta orizzontalità della superficie di questa platea di blocchi è stata senza dubbio ottenuta con lavoro di levigazione a maranzano dopo il collocamento in opera. Irregolari restano invece, in questi livelli di fondazione non visibili, i margini esterni dei singoli blocchi, ora più ora meno sporgenti. Sulla superficie dei sei blocchi più sporgenti del lato Sud si riconosce ancora chiarissima la linea incisa presso il loro margine esterno. ma si riconosce anche perfettamente per breve tratto una linea incisa perpendicolare alla prima, e cioè in senso N-S, che corrisponde all'allineamento frontale delle strutture che erano impostate sul primo spianamento trasversale.

Questa platea ci dà come larghezza della fondazione m. 2,60.

La platea di blocchi conservata nell'angolo SE cessa a m. 11,20 dall'angolo, ma lo spianamento della roccia al livello — 3, su cui i blocchi si basavano, continua per altri m. 10 ed è prolungato per altri m. 2,60 da un altro piccolo gruppo di blocchi superstiti (undici), minori di quelli descritti, per cui ne occorre tre (anziché due) per raggiungere la voluta larghezza della fondazione.

Il livello — 4, su cui questo gruppo di blocchi si basa, si prolunga altri m. 4,60 oltre il loro termine. La roccia risale poi al livello — 3, per un breve tratto (m. 3,10) e ridiscende al livello — 4 per l'ultimo tratto di m. 8,20, fino all'angolo SO (Fig. 15).

Nella parte mediana del lato breve Ovest lo spianamento di fondazione scende (per circa m. 6,60) al livello — 5 e per un minor tratto (di m. 5,20) al livello — 6. È questo il punto in cui le fondazoni del tempio erano più profonde. Lo spianamento risale al livello — 5 nell'angolo NO e prosegue così per circa m. 16 e cioè per oltre un terzo del lato lungo Nord e in questo tratto si conservano in situ due blocchi della fondazione sovrapposta. Sale poi bruscamente al livello — 2 con un gradino corrispondente all'altezza di tre filari di blocchi. Al livello — 2 si conserva per tutto il rimanente tratto del lato N (m. 21 circa) fino all'angolo NE, che è, come abbiamo visto, al livello — 1 (Figg. 16, 17).

Fondazioni all'interno della peristasis (Figg. 8-12).

Lo spazio interno racchiuso dalla peristasis, della lunghezza complessiva di circa m. 33 e della larghezza di m. 12,50, si può dividere in due parti pressoché uguali fra loro.

Nella metà anteriore (Est) su una lunghezza di circa 16 metri si notano quattro spianamenti di fondazione trasversali (che vanno cioè dall'uno all'altro lato lungo della peristasis), e che sono di larghezza disuguali.

Un diaframma della larghezza (teorica) di circa m. 1,80, in massima parte conservante la superficie naturale affiorante della roccia (ma tagliata obliquamente sul fronte Est in rapporto a quella correzione di orientamento del tempio di cui abbiamo parlato) divide la fondazione della peristasis (lato E) da un primo spianamento assai regolare, di grande larghezza (circa m. 3,60) tutto a livello — 1, salvo un breve tratto di m. 2,30 × 2 dell'estremità meridionale che scende a livello — 2 (Fig. 8).

Osserviamo che la larghezza di questo spianamento di fondazione è notevolmente maggiore di tutti gli altri ed anche di quello della stessa peristasis.

Un secondo diaframma di roccia conservante intatta la superficie naturale, della larghezza di m. 1,80, divide questo primo dal secondo spianamento trasversale che si trova anch'esso allo stesso livello — 1 e che ha una larghezza di circa m. 2,20.

Il terzo diaframma, fra questo secondo spianamento e il III. è assai sottile (cm. 35-40). Esso è integro agli estremi e nella parte mediana, ma appare invece regolarmente tagliato e levigato a livello — 1 in corrispondenza di quelle che devono essere le fondazioni dei muri della cella, i quali pertanto si prolungavano fino a tutto il secondo spianamento.

Il terzo spianamento trasversale è ancora più stretto del secondo. È cioè della larghezza di m. 1,80. Scende ad una quota alquanto più profonda degli spianamenti I e II, ma il dislivello non è quello corrispondente alla normale altezza di un filare di blocchi e cioè di circa cm. 50 (Fig. 9.

È alquanto minore di questa misura e la sua superficie si può considerare ad una quota intermedia fra i livelli — 1 e — 2. Ciò ad entrambi gli estremi. Nella parte mediana invece lo scavo della roccia è stato approfondito notevolmente, forse per un altro metro, con un taglio verticale, molto regolare, là dove doveva esistere una vena di calcare degradato. Notiamo che questo approfondimento, della lunghezza di m. 5,30 non è sull'asse del tempio, ma sensibilmente spostato verso N. Non sembra quindi corrispondere ad un bothros o ad altra opera di significato sacrale, ma piuttosto invece rispondere alle buone regole costruttive.

Ai due lati di questa escavazione più profonda ed esattamente sull'asse di quelli che dovevano essere i muri laterali della cella, si conservano ancora in situ due gruppi di blocchi tutti dell'altezza di cm. 30-35.

Si ha a Nord tre blocchi affiancati occupanti tutta la larghezza dello spianamento. La loro superficie è levigata a livello — 1, si raccorda cioè perfettamente col livello del secondo spianamento trasversale.

Lo stesso può dirsi per il gruppo del lato Sud formato da tre blocchi superstiti, di cui due in senso N-S ed un terzo perpendicolare ad essi.

Anche nel quarto diaframma, che divide il terzo dal quarto spianamento trasversale, si riconoscono più o meno evidenti i tagli e gli spianamenti corrispondenti ai muri della cella. Questo quarto spianamento è alquanto più largo dei due precedenti, raggiunge cioè la larghezza di m. 2,40 e si trova all'incirca al livello — 2 (Fig. 10).

E in realtà i blocchi, relativamente numerosi, che si conservano in posto al di sopra di esso, o che sono stati smossi ma non asportati, sono di un'altezza molto maggiore di quelli conservati sullo spianamento III. Hanno cioè l'altezza canonica di circa cm. 50 anziché di 30-35. La loro superficie levigata veniva pertanto a trovarsi anch'essa esattamente al livello — 1.

Resta in situ proprio nella zona mediana dello spianamento un'ampia platea di blocchi. Essa ci dimostra che i blocchi della fondazione dovevano essere in due serie, tutti con asse lungo il senso E-O, trasversale cioè all'andamento dello spianamento medesimo.

Ma al centro di questa platea è stata scavata, e non certo accidentalmente, una fossa rotonda, di forma abbastanza regolare , che si trova proprio sull'asse del tempio. Essa misura m. 2,40 circa di diametro, attraversa con taglio grossolano, ma abbastanza netto, tutta l'altezza del filare di blocchi, e scende verticalmente per altri m. 0,40 nella roccia sottostante. Il suolo di essa non è regolare, al contrario è molto accidentato e più profondo all'intorno che al centro. Lo si direbbe formato da una serie di cavità, piuttosto che da uno scavo unitario. Sembra evidente che il taglio di questa fossa sia stato praticato quando già i filari di blocchi delle fondazioni erano in opera (Figg. 11, 12).

La platea superstite corrisponde a sei coppie di blocchi. La fossa ha distrutto totalmente forse i quattro mediani della serie occidentale, mentre ha troncato a metà quelli corrispondenti della serie orientale. Restano pressoché intatti i blocchi laterali a Nord e a Sud.

Osserviamo che sulla serie orientale di blocchi si riconosce evidentissima una sottile linea incisa in senso N-S alquanto distanziata (circa cm. 40) dal loro termine.

Sono stati asportati i blocchi ai due lati di questa chiazza mediana, ma restano sul lato Sud parecchi altri blocchi smossi dalla loro posizione originaria e che erano già pronti per essere asportati, mentre ancora in situ sono alcuni blocchi all'estremità Nord dello spianamento.

Assai più semplici e di più chiaro significato sono i tagli di fondazione nella metà posteriore, occidentale, dell'area interna del tempio (Fig. 14).

Abbiamo qui degli spianamenti regolarissimi, tutti della costante larghezza di m. 1,80, delineanti un ampio rettangolo, con superficie interna di m. 11,60 × 4,60, che è evidentemente la cella o l'adyton del tempio. Le fondazioni dei lati brevi di questo ambiente (quinto e sesto spianamento trasversale) si prolungano sui lati fino a raccordarsi con quelle della peristasi, a somiglianza di quanto avveniva per gli spianamenti I - IV nella metà orientale. Invece le fondazioni dei lati lunghi restano indipendenti da quelle della peristasi, non si prolungano cioè ad incontrare quelle della fronte occidentale del tempio, ma lasciano un diaframma di roccia intatta della larghezza di m. 1,20 circa.

I tagli di fondazione di questo ambiente (comprese le risvolte di raccordo alla peristasis) sono sul lato frontale E ad una quota uniforme un poco inferiore al livello — 2. Allo stesso livello è un breve tratto del lato lungo Nord, che subito dopo risale al regolare livello — 2.

Questo lato Nord scende con un gradino al livello — 3 e infine all'angolo NO al livello — 4. Al livello — 4 è tutto il lato breve Ovest. Il lato lungo Sud è regolarmente a livello — 3. All'angolo SE si conserva in situ un gruppo di cinque blocchi di cui tre affiancati in senso N-S e due (aderenti ad essi sul lato N) in senso E-O.

LA PLANIMETRIA DEL TEMPIO

Le misure dello stereobate

Le misure dello stereobate sulla linea di euthynteria possono essere calcolate con notevole approssimazione in base alle linee incise sui blocchi della fronte Est e del lato Sud (riportate anche sul nostro rilievo), mentre mancano simili indicazioni sugli opposti lati Ovest e Nord. Ciò lascia quindi un certo margine di incertezza, peraltro non molto rilevante.

Il D'Angelo pertanto giungerebbe sugli assi del tempio alle misure di m. 18,30 × 39,50 circa. Alquanto maggiori sono ovviamente le misure dei tagli della viva roccia , che, misurate sui vari lati, risultano le seguenti: sulla fronte Est m. 19,60; sulla fronte Ovest m. 19,10; sul lato Sud m. 40,40; sul lato lungo Nord m. 40,50. La lunghezza del taglio sul lato Est è peraltro poco sicura perché le tracce nell'angolo SE non sono chiare.

Queste misure corrisponderebbero quasi esattamente a quelle teoriche di 60 piedi per 130 che, calcolando il piede acrense in cm. 30,4 (8), risulterebbe di M. 18,24 × 39,52, con uno scarto cioè rispettivamente di soli cm. — 6 e + 2 rispetto a quelle reali rilevate dal D'Angelo.

Si trattava dunque di un tempio di dimensioni molto minori di quelli siracusani. Infatti, applicando la stessa unità di misura di cm. 30,4, l'Apollonion risulterebbe di piedi 70 × 180; l'Olympieion di piedi 73 (o 74) × 206 e l'Athenaion di piedi 72 × 180.

Le misure dello stilobate

Supponendo che vi fossero stati nello stereobate due gradini all'incirca di un piede e mezzo ciascuno, come nell'Olympieion e nell'Athenaion, e cioè complessivamente di tre piedi (cm. 91,2) per ciascun lato, le misure dello stilobate verrebbero a risultare di circa piedi 54 × 124 e cioè di m. 16,416 × 37,696 (in pratica m. 16,4 × 37,70).

Date le piccole dimensioni del tempio appare meno probabile che i gradini dello stereobate fossero tre, come nell'Apollonion, nel tempio della Vittoria di Himera, nel tempio di Segesta ecc.

In questo caso si dovrebbe calcolare complessivamente altri tre piedi in meno nelle misure dello stilobate, che risulterebbero di piedi 51 × 121 e cioè circa m. 15,50 × 36,78

Ci rendiamo conto da queste misure che il tempio doveva essere periptero con sei colonne sulla fronte e tredici sui lati lunghi. Questo rapporto è molto diverso da quello dell'Olympieion e dell'Apollonion di Siracusa, che hanno sei colonne per diciassette, ed è più

---

(8) L'unità di misura di cm. 30,4 mi è stata gentilmente suggerita dal Prof. Jos de Waele in una lettera del luglio 1982, scrittami dopo una visita del monumento e alcune misurazioni provvisorie.

vicino a quello dell'Athenaion (e del contemporaneo tempio della Vittoria di Himera) che è di sei per quattordici colonne.

Se l'interasse fra le colonne era esattamente di 10 piedi, avremmo sulla fronte cinque interassi di m. 3,04 = m. 15,20. Se a ciò aggiungiamo i due mezzi diametri delle colonne angolari (calcolate di circa m. 1 di diametro) e una fascia di cm. 10 su ciascun lato fra la colonna e il margine del gradino, e cioè altri m. 1,20 arriveremmo alla misura dello stilobate di m. 16,40.

Sui lati lunghi avremmo avuto:
— 12 interassi di m. 3,04 = m. 36,48;
— più i detti m. 1,20 = m. 37,68;
Misure cioè pressoché identiche a quelle di m. 16,42 × 37,70 a cui eravamo arrivati nell'ipotesi dei due gradini dello stereobate.

La planimetria del sekòs

Per ricostruire idealmente la planimetria del sekòs e cioè di quella parte del tempio, comprendente la cella e i suoi annessi, che è all'interno della peristasis, dobbiamo partire dai tagli di fondazione esistenti all'interno della peristasis. Sono qui evidenti nella metà anteriore del tempio cinque spianamenti di fondazione trasversali, da noi numerati da I a V, mentre nella metà posteriore sono evidenti gli spianamenti di fondazione per i muri della cella vera e propria.

Notiamo che tutti gli spianamenti in senso trasversale, non solo i cinque della metà anteriore, ma anche il sesto corrispondente al muro di fondo della cella, si prolungano fino a incontrare i tagli di fondazione della peristasis e ciò al fine di dare, almeno a livello di fondazioni, un maggior concatenamento strutturale ai singoli elementi dell'edificio, anche se questi si sarebbero limitati poi nell'elevato alla sola larghezza della cella.

Notiamo ancora che i tagli di fondazione dei muri laterali della cella si prolungano fino al secondo dei cinque spianamenti trasversali della metà anteriore e quindi questo spianamento II corrispondeva evidentemente alla fronte del pronao con le due colonne in antis.

Lo spianamento I, di larghezza molto maggiore e superiore anche a quella della peristasis, corrispondeva dunque ovviamente ad un portico, ad un raddoppiamento del colonnato della fronte, come quello che si riscontra nei più antichi templi siracusani, l'Apollonion e l'Olympieion.

Fino a questo punto l'interpretazione degli elementi planimetrici risultanti dai tagli di fondazione non lascia adito a dubbi. E neppure lascia adito a dubbi l'interpretazione dello spianamento V, che corrisponde evidentemente alla porta della cella vera e propria.

Incertezze interpretative si potrebbero avere per gli altri due spianamenti, e cioè il III e il IV.

Notiamo che di questi il III ha larghezza identica al V, che, come abbiamo visto, corrisponde alla porta della cella, mentre il IV, alquanto più largo, è identico al II e cioè a quello della fronte del pronao con le due colonne in antis.

Se su fondazioni di identica larghezza avessimo avuto elementi similari dovremmo supporre sullo spianamento III la porta di un'anticella, la quale anticella avrebbe avuto all'interno, sullo spianamento IV, una coppia di colonne come quelle in antis.

In realtà il D'Angelo mi fa giustamente osservare che queste due ipotetiche colonne nell'anticella o vestibolo non sarebbero strutturalmente necessarie e sarebbero state piuttosto ingombranti e tali da ostacolare il passaggio. Tanto più che proprio al centro di questo spianamento IV gli scavi hanno rivelato l'esistenza di una grande buca più o meno tondeggiante, del diametro di circa m. 2,20 che ha sezionato gli stessi filari di blocchi delle fondazioni impostate sullo spianamento addentrandosi nella viva roccia. La posizione rigorosamente assiale di questa escavazione dimostra che essa non è qualche cosa di accidentale e successivo, ma che è connessa funzionalmente col tempio stesso.

Si tratterebbe quindi di un bothros o fossa votiva, forse in rapporto solo con la fondazione del tempio, più probabilmente rimasta in funzione durante la vita di questo per scopi rituali, forse per ricevere offerte o libagioni che vi erano versate. Se ad essa corrispondeva qualche elemento, come un altare o una specie di vera da pozzo, al di sopra del suolo della cella, veramente questo elemento fra le due supposte colonne avrebbe impedito il passaggio. Comunque è da escludere che proprio qui, sul vuoto, fosse basato l'àgalma della dea.

Certo è peraltro che questo spianamento IV una funzione rispetto alla planimetria dell'elevato del tempio deve averla avuta. E che vi fosse un profondissimo pronao con tre coppie di colonne, sembra assolutamente da escludere, perché si sarebbero create fondazioni di dimensioni diverse per sostenere elementi fra loro identici.

La planimetria dell'Aphrodision che possiamo ricostruire dalle fondazioni, presenta particolarità che non si ritrovano in alcun altro tempio della Grecia d'Occidente.

Infatti se è frequente in Sicilia una suddivisione della cella in due ambienti, una cella vera e propria, destinata a contenere l'àgalma della divinità, e un vano retrostante, un adyton, destinato invece a contenere gli ex voto e i tesori del tempio, sempre il primo ambiente, la cella, è di dimensioni molto maggiori del secondo, l'adyton. Qui invece il secondo ambiente è di gran lunga il più vasto e senza dubbio quello più importante. Il minore vano antistante interposto fra esso e il pronao deve quindi essere interpretato come un vestibolo o anticella, cosa che non trova confronti nell'architettura della Grecia arcaica.

Se davvero in esso trovava posto una coppia di colonne esso apparirebbe come un raddoppiamento del motivo architettonico del pronao, così come il portico antistante al pronao poteva apparire come un raddoppiamento della fronte del tempio.

Senza dubbio questa anticella doveva avere una funzione nel culto della dea, ma, come già abbiamo detto, la grande fossa mediana scavata nella IV fondazione esclude che qui potesse trovar posto la sua statua.

24

A meno che non si volesse pensare ed un tempio duplice costituito da due parti indipendenti non comunicanti fra loro, una delle quali accessibile dalla fronte orientale, l'altra da quella occidentale o opistodomo, così come sono il Partenone e il tempio di Apollo a Corinto, nel quale si ha non due, ma quattro colonne all'interno della cella orientale accessibile dal pronaos e che di tutti i templi arcaici è forse dal punto di vista della planimetria il più simile al nostro.

Ma la mancanza di un vero opistodomo, se non con due colonne in antis come il pronaos, almeno con due ante accennanti ad un vestibolo, rende poco probabile questa ipotesi.

Il muro di fondo semplice sembra meglio addirsi ad un adyton.

ELEMENTI DELL'ELEVATO DEL TEMPIO

Degli elementi architettonici dell'elevato del tempio nello scavo del 1953 sono state rinvenute solo sminuzzatissime schegge, una ventina in tutto, che dimostrano una distruzione intenzionale di tutti quegli elementi che, per non essere conci regolarmente squadrati, mal si prestavano ad essere riutilizzati.

Queste mutile schegge ci permettono peraltro di riferire al tempio una serie di frammenti (9), soprattutto di capitelli e triglifi, che quando iniziammo le ricerche su Akrai erano conservati in una delle grotte delle latomie acrensi, la Grotta del Custode.

Un solo frammento di triglifo, il più cospicuo, era stato portato dall'Orsi nel Museo Nazionale di Siracusa, insieme a larga parte di una delle guance dell'altare che, come di regola, doveva stare all'aperto dinnanzi alla fronte del tempio.

Attraverso questi frammenti è possibile renderci conto di alcune singolarità dell'architettura del tempio, ma ci mancano ancora troppi elementi perché si possa tentarne una ricostruzione grafica.

Le colonne

Delle colonne abbiamo diciotto piccole schegge, tutte rinvenute negli scavi recenti, alcune veramente minuscole. Le maggiori comprendono parte della superficie di due scanalature adiacenti con lo spigolo che le divide (Fig. 19) ed una sola potrebbe conservarci l'intera scanalatura con due spigoli, uno dei quali peraltro così corroso da rendere difficile una preicisa restituzione grafica.

Le altre sono schegge di spigoli o pezzi informi conservanti piccole porzioni della superficie curvilinea di una scanalatura. Esse dimostrano che le colonne del tempio, non riutilizzabili come regolari conci, dovevano essere state frantumate a colpi di mazza per farne pietrame o calce. Un solo pezzo potrebbe avere un interesse alquanto maggiore. È una piccola scheggia della sommità del fusto, con breve tratto del piano superiore e di due scanalature adiacenti (Fig. 20).

Essa ci dimostra che le colonne avevano alla sommità un collarino inciso, un semplice solco orizzontale poco profondo, e d'altronde l'angolo che lo spigolo verticale fra le due scanalature fa col piano superiore potrebbe essere un'indicazione della rastremazione delle colonne.

---

(9) *Akrai,* pp. 126-134, figg. 44-53. Negli ultimi anni tutto questo complesso di frammenti architettonici, che dopo la scoperta del tempio appare ovviamente riferibile ad esso, è stato accuratamente riesaminato da Barbara A. Barletta in un ampio studio di insieme che ne mette in luce la singolarità nel complesso dell'architettura dorica siciliana: B.A. BARLETTA, *Ionic Influence in Archaic Sicily: The Monumental Art,* «Studies in Mediterranean Archaeology», 23, Göteborg, 1983, pp. 111-121.

I capitelli

Avevano quattro schegge dorici (Figg. 21-26) alle quali se ne sono aggiunte altre due minuscole (Figg. 27, 28).

Una sola ci dà l'intero profilo dell'echino, ma nulla resta invece dell'abaco sovrapposto. In base a questa scheggia possiamo calcolare il diametro superiore della colonna in circa cm. 98. Il profilo dell'echino è fortemente espanso, come quello di più vecchi templi siracusani (Apollonion e Olympieion). Diverso è invece il tipo delle armille, che in questi templi sono divise fra loro da profondi intagli creanti un forte contrasto di luci e ombre. Qui invece gli intagli sono molto più superficiali e a denti di sega, assai più simili a quelli dell'Athenaion di Siracusa databile intorno al 470 a.C. Ma in due schegge alle armille si aggiunge un collarino ad astragalo alla base dell'echino. Un motivo decorativo cioè che si direbbe piuttosto di gusto ionico e che non è frequente nell'architettura dorica. Sotto terminano, con margine rettilineo, le scanalature del fusto, che dovevano essere nel numero regolare di venti.

I triglifi e le metope

Dei triglifi abbiamo tre frammenti, dei quali possiamo ricostruire la larghezza che doveva essere di cm. 59 circa (alquanto minore cioè della misura teorica di due piedi che sarebbe stata di cm. 60,8), mentre resta ignota l'altezza (Figg. 29-32).

In essi le scanalature presentano una sezione triangolare e terminano in alto ad arco. La fascia superiore ha termini laterali non diritti, come di regola, ma obliqui, cosa del tutto insolita. Non è questa d'altronde l'unica singolarità di questi elementi architettonici.

Ricorre infatti in due elementi un'elegante decorazione a tenue rilievo, anch'essa eccezionale nello stile dorico: sulla fascia superiore corre un motivo di spirali ricorrenti, irrigidito, nel quale le singole spirali sono diventate dei semplici dischi con bottone centrale, mentre nella parte superiore di ciascun listello è una palmetta a tre foglie nascente da una coppia di spirali, ugualmente irrigidite, dalla quale si staccano sottili steli che incorniciano superiormente l'archetto della scanalatura.

Nel terzo frammento mancano queste palmette e le spirali ricorrenti della fascia superiore sono rese in maniera meno elaborata, a fascia liscia anziché scanalata. Questa differenza, così come quella notata nei capitelli, di cui solo alcuni presentano l'astragalo, mancante in altri, induce a pensare che una decorazione più elaborata fosse riservata alla fronte del tempio e fosse sommaria sui lati lunghi. D'altronde quest'ultimo frammento ricordato indicherebbe che il triglifo fosse lavorato in un sol blocco con la metopa adiacente.

Se, come abbiamo supposto, l'interasse fra le colonne era di dieci piedi, e cioè di m. 3,04, essendovi in ogni interasse due triglifi (1/2 + 1 + 1/2) e due metope ed essendo i triglifi della larghezza di cm. 59, la larghezza delle metope avrebbe dovuto essere di cm. 93. Mentre i primi erano un po' meno di due piedi (60,8) le metope sarebbero state lievemente maggiori di tre piedi (cm. 91,2).

Il geison

Del geison abbiamo un blocco completo pressoché integro, che è stato scalpellato solo sul lato frontale per poterlo riutilizzare, ma che conserva i suoi margini originali su tutte le altre facce, e un frammento minore, ritagliato per ridurlo a concio più o meno squadrato anch'esso a fine di riutilizzazione (Figg. 33-37).

Il primo pezzo è di grande interesse. Presenta alla base un astragalo e al di sopra di questo, nella parte aggettante, due mutuli della larghezza di circa cm. 40 ciascuno, e due intervalli fra i mutuli stessi della larghezza di circa cm. 10.

Ciascun mutulo aveva al di sotto quindici gocce in tre file di cinque gocce ciascuna. Il margine del blocco coincide sul lato destro col limite del mutulo, sul lato sinistro invece col termine dell'intervallo. È evidente che i blocchi successivi dovevano essere identici ad esso.

Ma nel frammento minore il margine originario conservato doveva sezionare uno dei mutuli. Lo si comprende per il fatto che in esso le gocce non ricadono proprio sul margine del blocco, come accadrebbe se questo coincidesse col margine del mutulo, ma sono alquanto distanziate da esso. Nel pezzo integro infatti le gocce estreme sono ravvicinatissime al margine laterale del mutulo.

Dalla spazieggiatura dei mutuli ci si può rendere conto che anche riguardo a questo elemento dell'ordine dorico il tempio di Afrodite presentava delle caratteristiche insolite.

Mentre normalmente si ha un mutulo sopra ogni triglifo ed uno sopra ogni metopa, qui si dovevano avere un mutulo sopra ciascun triglifo e *due* mutuli sopra ciascuna metopa.

Solo così il ritmo della spazieggiatura dei mutuli viene a coincidere con quello degli interassi fra le colonne di dieci piedi e cioè di m. 3,04.

In ogni interasse infatti venivano a ricadere sei mutuli e sei intervalli, con un ritmo ricorrente di cm. 50,65 per ogni coppia di mutulo + intervallo.

Questo elemento viene quindi a confermare l'esattezza della nostra ricostruzione del fregio dorico in un'alternanza di triglifi di cm. 59 e metope di cm. 93.

Normalmente in un fregio dorico il geison presenta una successione di mutuli tutti identici e ugualmente spazieggiati, ricadenti l'uno sul triglifo, l'altro sulla metopa adiacente e ciascun mutulo ha al di sotto sei serie di gocce.

Vi sono poche eccezioni a questa regola. La più importante è quella offertaci dai templi C e D di Selinunte(10), dove si ha su ciascun triglifo un mutulo regolare a sei gocce,

---

(10) R. KOLDEWEY-O. PUCHSTEIN, *Die griechischen Tempel in Unteritalien und Sicilien,* Berlin, 1899, pp. 99 e 105, figg. 71 e 78 (tempio C) e p. 107, fig. 81 (tempio D).

e su ciascuna metopa un mutulo più stretto, lungo circa metà di esso e con tre sole gocce. Ciò aveva d'altronde confronti anche in Grecia, nell'Hekatompedon dell'Acropoli di Atene (11), nel tempio di Aphaia a Egina, nel tempio di Artemide di Corfù (12).

La soluzione offertaci dall'Aphrodision di Akrai di aumentare da due a tre il numero dei mutuli per ogni coppia di triglifo e metopa, riducendo la lunghezza dei singoli mutuli da sei a cinque gocce, mi pare finora senza confronti.

I kymatia

Non è da escludere la possibilità che all'Aphrodision appartenessero anche i kymatia di cui si conservano alcuni frammenti nel Museo Iudica e nell'Antiquarium di Palazzolo Acreide (13) (Fig. 38, 40).

In questo caso si potrebbe supporre che il fregio dorico a triglifi e metope corresse fra due kymatia, uno al di sopra, l'altro al di sotto, come avviene nel «tempio di Cerere» di Paestum (14). Ma questa resta finora una semplice ipotesi.

Ancor più incerto è il riferimento al tempio del grande fregio ad astragali con elementi assai allungati, testimoniato anch'esso da un solo blocco (15). Esso avrebbe potuto per esempio decorare la porta della cella o quella dell'anticella (Fig. 39).

Le terracotte architettoniche

Delle terracotte architettoniche, che dovevano coronare la copertura dell'Aphrodision rivestendo le travature lignee del tetto e del frontone, si sono trovate nello scavo del 1953 solo delle briciole, insufficienti anche a dimostrare l'appartenenza a questo tempio piuttosto che ad altri monumenti della città di quattro minuscoli frammenti da tempo posseduti dal Museo di Siracusa (16) (Fig. 44).

Si sono trovati di esse solo numerosi frammenti di astragali che dovevano costituire un'appariscente decorazione plastica delle lastre del geison (cassette) correndo orizzontalmente lungo gli spigoli di esse e che devono essere stati intenzionalmente spezzati a colpi

---

(11) Durm, *Baukunst der Griechen* 3ª Aufl., Lipsia, 1910, p. 380, fig. 362.

(12) A.W. Lawrence, *Greek Architecture,* Pelican Hist. of Art, 1957, p. 114, fig. 61 (Corfù) e tav. 21 (Egina).

(13) *Akrai,* fig. 52 a pag. 133; cfr. Barletta, *op. cit.,* pp. 115-117.

(14) H. Berve, G. Gruben, M. Hirmer, *I templi greci,* Firenze, Sansoni, 1962. (*Griechische Tempel und Heiligtumer,* München, 1962), p. 224, fig. 79; F. Krauss, *Paestum, die griechischen Tempel,* Berlin, 1941, p. 37, fig. 38:
— ID., *Die Tempel von Paestum,* 1959, p. 23 - 24, fig. 21 2-5, tav. 24.

(15) *Akrai,* fig. 53 a pag. 134; Barletta, *op. cit.,* p. 117. Considerato di età più tarda.

(16) *Akrai,* fig. 54 a pag. 135.

di martello onde riutilizzare rozzamente gli elementi del geison come canali o, tagliandoli, come semplici lastre di pavimentazione (Fig. 41).

I frammenti di astragali raccolti nello scavo appartengono a tre serie distinte di tipo sostanzialmente identico, costituito cioè da una successione di elementi globulari, o meglio alquanto ovoidali, e di coppie di elementi discoidali, ma di dimensioni notevolmente diverse.

Nella serie maggiore gli elementi ovoidali hanno lunghezza di cm. 6,8 e diametro di cm. 5,2 circa e uguale diametro hanno gli elementi discoidali. Le si riferisce una quindicina di frammenti, due soli dei quali comprendono l'ovulo (più o meno scheggiato), e una coppia di dischi; tre il solo ovulo, due una coppia di dischi. Gli altri sono schegge degli uni o degli altri.

Nella serie intermedia gli elementi ovoidali hanno lunghezza di cm. 5,3; D. un po' meno di 5. Le appartengono tre frammenti conservanti l'ovulo e una coppia di dischi, sette schegge di ovuli e quattro frammenti di dischi.

Nella serie minore gli ovuli misurano cm. 3,7 × 3,2. Le appartiene un frammento con ovulo e coppia di dischi aderente al margine di una lastra e mezza dozzina di frammentucoli, alcuni dei quali corrispondenti anch'essi al margine della lastra.

Questo fregio acrense doveva essere cioè del tipo attestatoci a Siracusa da un elemento singolo (17), trovato sporadicamente dall'Orsi nello scavo di un serbatoio idrico, riutilizzato come oratorio in età bizantina, venuto in luce nell'area dell'attuale stazione ferroviaria e cioè nel quartiere dell'agorà (Fig. 42).

Il confronto con l'esemplare siracusano ci dimostra che le tre serie di astragali potevano appartenere ad un solo fregio fittile. In questo esemplare infatti gli astragali che corrono alla sommità della fronte dipinta sono notevolmente minori di quelli correnti invece lungo lo spigolo inferiore: nella lunghezza conservata di cm. 55 trovano posto in alto otto elementi ovoidi e otto copie di dischi, mentre nella serie inferiore si hanno solo sei elementi discoidali e sette coppie di dischi.

Anche nel nostro caso quindi la serie mediana doveva essere quella superiore, la serie maggiore quella inferiore rispetto alla fronte verticale della lastra, mentre la serie minore doveva correre lungo il margine della risvolta orizzontale, come dimostra d'altronde il maggior frammento di essa conservante il margine della lastra.

Il fregio siracusano è stato attribuito dall'Orsi genericamente al V secolo a.C. sulla base peraltro di una semplice impressione. Il Van Buren lo data alla prima metà del V. Noi stessi propendevamo ad attribuire questo pezzo, così come il diffondersi della decorazione ad astragali nelle terrecotte architettoniche siceliote al posto dei semplici bastoni lisci, ad una fase avanzata dell'evoluzione di questa classe di manufatti. Osservavamo peraltro

---

(17) P. Orsi, *Not. Scavi,* 1904, p. 282, fig. 7; cfr. D. Van Buren, *Archaic Fictile Revetments in Sicily and Magna Graecia,* London, 1923, p. 125, Catal. n. 60 e fig. 40, che lo indica erroneamente come proveniente dall'Olympieion.

che la presenza di frammenti di terracotte in cui l'astragalo si sostituisce al bastone a Megara Hyblaea (frammenti inediti al Museo di Siracusa) indica che questo nuovo tipo di decorazione era già diffuso prima del 483 a.C., data della distruzione di Megara da parte di Gelone (18).

Lo stesso motivo, anche se molto meno vistoso di quello dei fregi di Siracusa e di Akrai, ricorre nei fregi del minor tempio di Monte Casale e in quelli dei templi di Leontinoi e di Monte S. Mauro(19), ma anche in uno dei minuscoli frammenti provenienti da Akrai del Museo di Siracusa che abbiamo sopra ricordato (20), ma che non sembra identificarsi con il fregio dell'Aphrodision di cui abbiamo trovato i frammenti.

La lastra di Siracusa ha sulla risvolta un motivo decorativo dipinto diverso da quello che ricorre comunemente nelle terracotte architettoniche siceliote, e cioè invece della treccia doppia o più raramente singola a tre colori si ha in essa un meandro doppio complesso, dipinto in nero sul fondo bianco.

Della superficie dipinta delle lastre acrensi non si trovò nel nostro scavo altro che alcune minuscole schegge del tutto insignificanti (Fig. 43).

(18) *L'Athenaion di Gela e le sue terracotte architettoniche, Annuario della scuola Archeol. di Atene,* XXIII-XXIV, 1952, p. 94.

(19) P. ORSI, *Di una anonima città siculo-greca a Monte San Mauro, Monumenti Antichi dei Lincei,* XX, 1911, tavv. 778 e segg., figg. 43, 45, tav. V.

(20) *Akrai,* fig. 54 b, p. 135, n. 4.

L'ALTARE

Dell'altare, che dobbiamo pensare situato dinnanzi alla fronte orientale del tempio ad una certa distanza da esso, non si riconosce traccia sulla superficie della roccia che qui appare pressoché completamente denudata. Ma questa superficie è stata non solo erosa dalle intemperie, ma anche rilavorata soprattutto durante l'ultima guerra, quando fu qui collocata una batteria antiaerea. Se pure l'altare non era invece collocato non frontalmente, ma lateralmente, nello spazio molto più ampio che si estende ai fianchi del tempio.

È assai probabile che a questo altare appartenesse la guancia frammentaria (21) che l'Orsi trovò depositata nell'area delle latomie e fece trasportare al Museo di Siracusa ove si conserva (Fig. 46).

Questa guancia d'altare assai simile a quella trovata dall'Orsi negli scavi intorno all'Athenaion di Siracusa (22) e a quella successivamente venuta in luce negli scavi dell'Apollonion (23), era costituita da un robusto lastrone decorato su entrambe le facce con un motivo a lira, terminante con volute e decorato con palmette, di gusto ionico. La sua altezza è di m. 0,88 e la larghezza di m. 0,455, mentre la lunghezza originaria, dal rilievo ricostruttivo fattone dal Carta risulta in m. 1,82. Quella conservataci dai due frammenti superstiti e combacianti è di m. 1,33.

(21) *Akrai*, pp. 151-153, fig. 51 e tav. XXV; cfr. P. ORSI, *Gli scavi intorno all'Athenaion di Siracusa, Monumenti Antichi dei Lincei,* XXV, 1919, col. 346, fig. 253.

— D. LO FASO DUCA DI SERRAFALCO, *Le antichità della Sicilia esposte ed illustrate,* Palermo, 1840, vol. IV, p. 163, tav. XXXIII, fig. 6.

— KOLDEWEY-PUCHSTEIN, *op. cit.,* I, p. 75.

(22) ORSI, *cit.,* coll. 693 e segg., tav. XXXII.

(23) G. CULTRERA, *L'Apollonion-Artemision di Ortigia in Siracusa, Monumenti Antichi dei Lincei,* XLI, 1951, col. 761, fig. 23.

SCULTURE INTORNO AL TEMPIO

Indizi di una grande plastica fittile

Nel settembre 1983, in occasione dei rilievi planimetrici del tempio, D'Angelo trovò in superficie presso l'angolo Sud-ovest del tempio un piccolo frammento di una grande statua fittile. Il frammento comprende il naso e parte del labbro superiore di una figura alquanto maggiore del vero. È di buona modellatura (Fig. 47).

Il naso è a profilo diritto, alquanto allargato alla base e con punta rotonda. Forti solchi profondamente incisi contornano le pinne nasali. Le narici sono poco incavate. Una fossetta molto accentuata sovrasta il labbro superiore che è delimitato superiormente da una incisione altrettanto netta di quelle ai lati del naso. Il taglio della bocca è rivolto alquanto verso l'alto agli angoli estremi, ma non molto allungato. La figura presentava cioè il tipico «sorriso eginetico».

La modellazione vigorosa sembra addirsi ad un personaggio maschile. Siamo lontani dalla morbidezza, dalla delicatezza che ci attenderemmo nel rendimento di una figura femminile.

Le osservazioni che abbiamo fatto ci porterebbero ad attribuire questa scultura alla seconda metà del VI secolo a.C.

Dal punto di vista tecnico possiamo dire che il nucleo interno della statua era di impasto con abbondanti elementi sabbiosi nerastri mescolati ad un'argilla biancastra. Questo nucleo era rivestito con uno strato piuttosto spesso di argilla depurata di colore alquanto più roseo, ma a superficie tendente ad un nocciola chiaro. Questa era dipinta con un colore giallastro solo parzialmente conservato e che appare uniforme. Non si nota infatti nessuna traccia di un colore diverso sulle labbra.

Misure del frammento: A. cm. 6,5; La. 6.5; Alt. del rilievo 5,3.

Se questo frammento apparteneva ad una statua stante, questa avrebbe dovuto misurare circa due metri di altezza.

Pur nella sua estrema frammentarietà questo minuscolo pezzo è sufficiente a dimostrarci che nell'Aphrodision o intorno ad esso dovevano esistere grandi sculture fittili come quelle che ci sono note, sempre purtroppo attraverso mutili frammenti, dagli scavi dell'Artemision e del più antico Athenaion di Siracusa, ma anche di altri templi siciliani e in particolare da quelli gelesi.

Sculture in calcare

In quanto alle mutile statue acrensi in calcare locale di età arcaica, conservate nel Museo di Siracusa, la loro provenienza dal santuario di Afrodite è assai probabile anche se non dimostrabile.

Del busto femminile acefalo (24) non si conoscono le circostanze del rinvenimento. L'Orsi lo trovò nel recinto dei monumenti ove giaceva da moltissimo tempo.

La figura maschile seduta (25) invece fu trovata nel 1932 sul ripido pendio meridionale dell'Acremonte ad Est dei due monticelli di Monte Allegro identificabili con le «Mammelle di Lamia» dell'iscrizione dei themelia, e cioè nel pendio sottostante al pianoro in cui sorgeva l'Aphrodision (Fig. 48).

Poteva quindi ben essere stato gettato dall'alto e cioè dall'area circostante al tempio.

---

(24) P. ORSI, *Sculture greche del R. Museo Archeologico di Siracusa, Rendic. Lincei,* VI, 1897, p. 309, figg. 5, 6.
— ID., *Monuments Piot,* 1918, pp. 145-146.
— PERROT et CHIPIEZ, *Histoire de l'Art,* VIII, p. 482, fig. 244.
— W. DEONNA, *Dédale ou la statue de la Grèce archaïque,* Paris 1930, II, p. 146.
— B. PACE, *Arte e Civiltà nella Sicilia Antica,* II, 1938, p. 4, fig. 4.
— *Akrai,* p. 143, tav. XXVIII.
— G. VOZA, *Cultura artistica (in Sicilia) fino al V sec. a.C.,* in E. GABBA, G. VALLET, *Storia della Sicilia: la Sicilia antica,* II, 1, 1980, p. 114, tav. 24.
(25) P.E. ARIAS, *Daedalica Siciliae, Annali della R. Scuola Normale Superiore di Pisa,* sez. II, vol. VI, 1937, p. 134, tav. V, figg. a-c.
— *Akrai,* p. 142, n. 2, fig. 64 e tav. XXIX.
— VOZA, *Cultura artistica, cit.,* p. 115.

34

CONSIDERAZIONI CONCLUSIVE

Una ricostruzione grafica dell'elevato dell'Aphrodision in base agli elementi che possediamo non è possibile. Troppe sono infatti le incertezze, troppi i dati che ci mancano.

Delle colonne possiamo ricostruire molto approssimativamente il diametro superiore, ma non conosciamo né l'altezza, né il profilo (rastremazione, entasis), né il diametro inferiore. Dei capitelli non conosciamo l'abaco. Non conosciamo né l'altezza dell'epistilio né quella del fregio dorico e che esso si svolgesse fra due kymatia è una semplice ipotesi.

Abbiamo visto che la misura dei triglifi doveva essere molto vicina a quella teorica di due piedi (cm. 60,8). La larghezza delle metope doveva dunque essere almeno teoricamente di tre piedi (cm. 91,2). Salvo evidentemente le variazioni che possono essere imposte dalle soluzioni adottate per risolvere il problema angolare. Abbiamo il geison nel quale abbiamo visto ricorrere un mutulo su ciascun triglifo e due su ciascuna metopa. Su di esso doveva impostarsi il fregio di terracotta (geison o cassetta fittile) del quale possiamo dire solo che era formato da elementi a risvolta inferiore e decorati con tre serie di astragali fortemente plastici. Quasi nulla invece ci resta della sima fittile.

La presenza del fregio fittile sembrerebbe escludere la possibilità di un frontone lapideo a cui riferire il grande acroterio visto e disegnato dal Cavallari e oggi perduto (26).

Invece appartiene con tutta probabilità all'altare dell'Aphrodision la guancia di altare portata dall'Orsi al Museo di Siracusa, assai vicina tipologicamente a quelle dell'Athenaion e dell'Apollonion di Siracusa.

Dell'altare stesso peraltro non è stato possibile finora ritrovare alcun indizio sul terreno.

Concludendo possiamo dire che l'Aphrodision di Akrai ha alcuni elementi comuni con i più antichi templi siracusani quali l'Apollonion e l'Olympieion, generalmente attribuiti alla prima metà del VI secolo a.C. Sono questi il raddoppiamento del colonnato sulla fronte, il muro di fondo della cella, il profilo fortemente espanso dell'echino dei capitelli.

Ma ha, rispetto ad essi, caratteri più evoluti, soprattutto le proporzioni meno allungate della pianta, il rapporto cioè di sei colonne a tredici, che lo avvicina maggiormente ai grandi templi dei primi decenni del V secolo come l'Athenaion di Siracusa e il tempio della Vittoria di Himera che hanno sei per quattordici colonne.

A questi richiama anche il tipo delle armille dei capitelli a dente di sega anziché a profondo intaglio come nei templi più antichi.

Nella tradizione dell'Apollonion e dell'Olympieion e del più antico Athenaion ionico di Siracusa è il coronamento dei lati lunghi e del frontone con terracotte architettoniche

---

(26) Serradifalco, *op cit.*, vol. IV, pp. 158-161, tav. XXXIV, fig. 3 (cfr. tav. XXXI).
— *Akrai*, p. 133, n. 9, tav. XXV, 3.

dipinte: geison (o cassette), attestata dagli sminuzzati frammenti, e sima che esso presuppone di cui non resta alcuna testimonianza.

Ma la decorazione plastica ad astragali di queste terracotte costituisce un elemento di seriorità rispetto ai rivestimenti fittili di questi templi più antichi. In essi peraltro troverebbe confronto la grande plastica in terracotta finora indiziata ad Akrai da un solo minuscolo frammento.

La datazione più probabile per l'Aphrodision sembrerebbe dunque nel corso della seconda metà del VI secolo a.C. Una conferma di questa ipotesi, e forse una più precisa determinazione, si potrà trarre dallo studio, non ancora effettuato, delle ceramiche raccolte nello scavo e soprattutto nella fossa votiva.

Una singolarità planimetrica è la presenza di quell'anticella o vestibolo, forse a due colonne, che si interpone fra il pronao e la profonda cella. È un elemento questo che non trova riscontro in alcun altro dei templi sicelioti o della Magna Grecia.

Altrettanto singolare è quell'ingentilimento della severità dello stile dorico con una varietà di motivi decorativi che ricorrono nei vari elementi della sua struttura e che rispondono piuttosto ad un gusto ionicizzante.

Sono questi gli astragali sul collarino dei capitelli, le palmette e il fregio a spirali che ricorrono sui triglifi e l'insolita obliquità dei margini della fascia che li sovrasta, ma probabilmente anche i kymatia che si può supporre limitassero anche superiormente e inferiormente il fregio di metope e triglifi. Con questo spirito ben si accorda la movimentata e coloristica decorazione ad astragali di forte plasticità delle terracotte architettoniche.

Ingentilimento senza dubbio in stretto rapporto col carattere eminentemente femmineo della divinità a cui il tempio era consacrato, ma che corrisponde ad una tendenza diffusa nella Magna Grecia e nella stessa Sicilia di cui potremo citare altri esempi.

Si ricordino gli anthemia dei capitelli della basilica di Paestum e delle Tavole Palatine di Metaponto, e la più esuberante decorazione del tempio pestano di Cerere, mentre per la Sicilia abbiamo, forse unico esempio, l'elemento del fregio dorico, riccamente ornato, di quel sacello extraurbano di Megara Hyblaea, selvaggiamente distrutto dalle industrie, dal quale proviene anche la statua della dea allattante i due gemelli.

Appendice

CATALOGO DEI FRAMMENTI DI ELEMENTI ARCHITETTONICI
RIFERIBILI AL TEMPIO

Colonne

Tutti i frammenti, assai sminuzzati, appartenenti al fusto delle colonne sono stati raccolti nello scavo 1953.

1) - 14) Piccole schegge delle colonne, conservanti solo parte della superficie incurvata di una scanalatura o parte dello spigolo fra due scanalature (nessuna supera come lunghezza massima i cm. 30 e molte non raggiungono i cm. 15) (Fig. 19).

15) Scheggia del fusto di colonna conservante parte di una scanalatura con gli spigoli laterali e l'inizio delle scanalature successive. Uno degli spigoli è fortemente corroso .
A. fr. 31; la. 32; spess. scheggia 12.
La larghezza della scanalatura risulterebbe di circa cm. 14,5.

16) Scheggia della sommità di una colonna, con piccola parte del piano superiore e parte della superficie incurvata di due scanalature con lo spigolo vivo che le divide. Un solco profondo largo cm 1 corre poco sotto (cm. 1,5) la sommità del fusto, formando un collarino. Questo frammento ci permette di riconoscere la rastremazione della colonna verso la sommità (Fig. 20).
Mis. frammento sul piano superiore cm. 18 × 12; A. scheggia 11.

Capitelli

Alle quattro schegge di capitelli rinvenute in precedenza (1) se ne sono aggiunte altre due dai nuovi scavi.

1) - 2) Due frammenti di capitelli dorici, uno dei quali, il minore, è solamente una scheggia della parte inferiore dell'echino, l'altro invece conserva tutto il profilo dell'echino stesso fino alla sua unione con l'abaco, del quale peraltro nessun avanzo rimane (Figg. 21-22,23). Non sappiamo pertanto se, come assai frequentemente si riscontra nei capitelli dorici arcaici sicelioti, anche in questo caso l'abaco aggettasse lievemente oltre l'estremo limite della espansione dell'echino o terminasse verticalmente in coincidenza di questo. L'echino è fortemente espanso e schiacciato, elemento questo che indica un notevole arcaismo. Il profilo infatti è quasi identico a quello dei più arcaici capitelli dorici che ci siano noti nella regione siracusana e cioè di quelli dell'Apollonion (2) e dell'Olympieion (3) di Siracusa, di quelli

(1) *Akrai,* pp. 126-129, figg. 44-47; cfr. B.A. BARLETTA, *op. cit.,* pp. 112-113.

(2) KOLDEWEY - PUCHSTEIN, *op. cit.,* Berlin 1899, I, p. 64, figg. 48 e 49.

— G. CULTRERA, *Consolidamento e restauro di due colonne dell'Artemision di Ortigia in Siracusa. Rivista del R. Istituto di Archeologia e Storia dell'Arte,* IX, 1943, pp. 54-67.

(3) Frammento inedito nel Museo di Siracusa.

ritrovati dal Cavallari e dall'Orsi intorno all'Athenaion di Siracusa (4) e di quelli, infine, del tempio di Megara Hyblaea (5).

Ma se a questo gruppo di capitelli arcaicissimi si ravvicina la sagoma dell'echino, assai diversa si presenta invece la forma delle armille.

Nei capitelli ricordati le armille sono divise fra loro da solchi, ora a sezione rettangolare (Athenaion) ora a sezione triangolare (Apollonion, Megara Hyblaea), ma sempre molto profondamente intagliati e penetranti direttamente nel senso radiale rispetto alla curva dell'echino. La fascia delle armille presenta quindi un forte contrasto di luci e di ombre.

Nei capitelli acrensi invece le armille, larghe e poco sporgenti, sono divise da solchi superficiali che non interessano in profondità nulla di più che la sporgenza stessa dell'armilla, senza penetrare in alcun modo entro la curva del profilo dell'echino. Le armille poi hanno un profilo trapezoidale, a dente di sega con un lato nel senso radiale rispetto alla curva dell'echino e quello opposto fortemente obliquo ad essa.

La somiglianza è in questo caso piuttosto con i capitelli dell'Athenaion siracusano (6) (primi decenni del V sec. a.C.) e con quelli dei templi di Hera Lacinia e della Concordia di Agrigento (7) e più ancora con quelli dell'Heraion (tempio E) di Selinunte (8), tutti dell'inoltrato V secolo.

Notiamo però che un tipo di armille non dissimili presentano anche i capitelli dei più vecchi templi selinuntini (C e D) (9). Nel 1956 ponevamo quindi il problema se la straordinaria espansione dell'echino dei capitelli acrensi non fosse da interpretare come un attardamento di un tipo arcaico in una età in cui altrove esso era ormai scomparso, ma data l'analogia con i capitelli dei templi C e D di Selinunte, propendevamo ad attribuire ad essi una rilevante antichità pur considerandoli alquanto seriori rispetto a quelli del gruppo siracusano più arcaico e datarli alla seconda metà del VI sec. a.C. Il complesso delle osservazioni fatte anche rispetto agli altri elementi della planimetria e dell'elevato del tempio ci conferma questa datazione.

3) - 4)   Due frammenti di capitelli dorici di profilo identico ai precedenti, ma nei quali, sotto le armille corre un astragalo di cui si conservano 13 elementi. Sotto ad esso vengono a terminare, con margine rettilineo, le scanalature del fusto, che dovevano essere nel numero regolare di venti (Lu. fr. ca cm. 37; La. 32 circa e cm. 12,5 × 18 circa) (Figg. 24-25, 26). Questo elemento richiama il confronto con i capitelli della «Basilica» e del tempio detto di Cerere di Paestum (10) e anche con un capitello arcaico di Corcira (11).

(4) P. Orsi, *Gli scavi intorno all'Athenaion di Siracusa, Monumenti Antichi dei Lincei*, XXV, col. 355, fig. 258.

(5) P. Orsi, *Megara Hyblaea, Villaggio neolitico e tempio greco arcaico, Monumenti Antichi dei Lincei*, XXVII, 1921, col. 169, figg. 12 e 13.

(6) Koldewey - Puchstein, *op. cit.*, I, pp. 69-70, figg., 51-52.

(7) Ivi, p. 168, fig. 148 e p. 173, fig. 153.

(8) Ivi, p. 130, fig. 113.

(9) Ivi, p. 103, fig. 76 e p. 109, fig. 84.

(10) Ivi, p. 14-15, figg. 8-10 e pp. 19-21, figg. 17, 20, 21.

(11) Fr. Winter, *Kunstgeschichte in Bildern,* Lipsia, 1922, tav. 121, 9.

Anche il modo con cui le scanalature del fusto terminano superiormente in un marcato hypotrachelion trova confronti in un capitello di Tirinto (12) e in quelli delle «tavole Palatine» di Metaponto (13).

5) - 6) Dei due frammenti rinvenuti nel 1953 uno è una larga scheggia della parte inferiore dell'echino con le tre armille e breve tratto della corona di astragali, alquanto consunto, Lu. fr. ca cm. 37; La. 30 (Figg. 27-28).
L'altro è una piccola scheggia (Lu. cm. 16; La. cm. 12) in cui si conserva breve tratto delle tre armille e solo una traccia dell'astragalo corroso.

Triglifi

Nessun nuovo frammento è venuto ad aggiungersi ai tre pubblicati nel 1956 (14).
Di questi triglifi abbiamo già a lungo esaminato le caratteristiche e le singolarità costituite dal margine obliquo della fascia superiore e dalla decorazione in rilievo con un motivo a spirali ricorrenti stilizzate in tale fascia e con palmette a tre foglie nella parte superiore dei listelli che separano i glifi. Abbiamo detto anche come questa decorazione appaia più elaborata in due frammenti (1 e 2), più semplificata nel terzo.

1) Frammento comprendente la parte superiore sinistra di un triglifo di cui si può ricostruire la larghezza (circa cm. 60), ma non l'altezza. Conserva due degli elementi di spirale e una delle palmette (A. fr. 44; La. 26,5) (Fig. 29).

2) Piccolo frammento dell'angolo superiore sinistro di altro triglifo identico conservante un elemento di spirale nella fascia superiore e traccia della palmetta del listello verticale. (A. fr. cm. 15; La. 12,5) (Fig. 30).

3) Frammento comprendente l'angolo superiore destro di altro triglifo che, a differenza dei precedenti, era lavorato non su un blocco di forte spessore, ma su una lastra piuttosto sottile comprendente non solo il triglifo, ma anche la metopa adiacente, della quale si conserva solo un angoletto. Manca la decorazione a palmette sul listello, mentre quella a spirale ricorrente della fascia superiore è formata da nastro piano e non incavato come nei frammenti precedenti. È perfettamente conservato peraltro il margine obliquo di questa fascia superiore. (A. fr. 24,5; La. 25,5) (Figg. 31-32).

Geison

Al geison del tempio appartengono tre pezzi, uno completo e piccole schegge di altri due, tutti dallo scavo 1953.

1) Blocco completo del geison, rinvenuto in una delle trincee di saggio che hanno portato alla scoperta del tempio, a m. 17 dalla sua fronte Ovest, riutilizzato in murature di età

---

(12) IVI, tav. 121, 5.
(13) KOLDEWEY - PUCHSTEIN, *op. cit.*, I, p. 37, figg. 35, 36.
(14) *Akrai,* pp. 129-131, figg. 48-50; BARLETTA, *cit.*, pp. 114-115.

tarda. Nella riutilizzazione è stato scalpellato sul lato frontale, ma per il rimanente, salvo corrosioni e piccole scheggiature, si può considerare integro. Delle gocce, spezzate, una sola si conservava al momento del rinvenimento. Comprende due mutuli della larghezza di cm. 40 e due intervalli fra i mutuli di cm. 10. Ciascun mutulo aveva al di sotto 15 gocce in tre file di 5 ciascuna. Alla base del pezzo, là dove il geison posava sul sottostante fregio a triglifi e metope, correva un astragalo (Figg. 33-34-35).

Su ciascuno dei tagli laterali del blocco è un incavo quadrangolare (di cm. 6,5 × 6,5, prof. cm. 9,5) per una grappa o meglio un perno che lo fissava al blocco adiacente.

2)   Frammento di altro blocco tagliato in modo da ricavarne un concio più o meno parallelepipedo da riutilizzare nella muratura. Nonostante le grosse scheggiature si riconoscono le linee fondamentali del profilo, identico a quello del blocco maggiore.

Resta nel blocco il margine di un mutulo che peraltro differisce alquanto da tale blocco inquantoché le gocce, invece di essere collocate come in esso proprio sul margine del mutulo, qui se ne distaccano alquanto (Figg. 36-37).

Kymatia e astragali

Mentre per i frammenti precedentemente esaminati l'appartenenza al tempio è sicura, non altrettanto può dirsi per alcuni frammenti di kymathia di tipi e di misure diversi rinvenuti in passato (15) e di cui non conosciamo la zona di rinvenimento. Ma abbiamo supposto che uno di essi potesse correre alla sommità dell'epistilio, alla base cioè del fregio dorico, come nel tempio di Cerere di Paestum. Altri avrebbero potuto decorare parti interne del tempio o l'altare.

1)   Frammento di cornice con grande kymation a foglie linguiformi rivolte verso il basso di un tipo che, presente già nell'architettura arcaica (Megara Hyblaea) ritorna frequentemente anche nell'architettura sceliota del tempo di Ierone II, per es. nel tempio adiacente al minore teatro di Tauromenion. Al di sopra corre un piccolo astragalo. Del kymation si conservano due foglie intere. A. cm. 19; lu. fr. cm. 32; spess. cm. 32 (Fig. 38).

2)   Frammento di cornice comprendente un'ampia gola, un kymation a grandi foglie linguiformi, analogo a quello del frammento precedente e un astragalo. A. cm. 21; lu. fr. 27; spess. 0,14 (Fig. 38).

3)   Frammento di cornice comprendente una gola, un kymation a grandi foglie linguiformi e un secondo kymation a foglie più rigide convesse, di tipo dorico. A. cm. 26; Lu. fr. cm. 30,5; spess. 20 (Fig. 38).

4)   Frammento di grande astragalo ad elementi molto allungati. Sulla faccia superiore del blocco tre cerchietti incisi (Fig. 39).

Si è aggiunto negli scavi del 1953

5)   Un frammento di lastra marmorea (cm. 20 × 23) recante in rilievo un astragalo di cui si conservano due elementi (Fig. 40).

---

(15) *Akrai,* pp. 133-134, figg. 52-53; BARLETTA, *op. cit.,* pp. 115-117.

Terrecotte architettoniche

1) Più di una trentina di frammenti di astragali plastici, di tre diverse misure che dovevano decorare i margini e lo spigolo di «cassette» (o geisa) fittili e che senza dubbio erano stati spezzati intenzionalmente per meglio riutilizzare, come lastre o come canali, gli elementi a cui erano applicati (Fig. 41).

Il confronto che abbiamo fatto a suo luogo con una «cassetta» analoga rinvenuta dall'Orsi a Siracusa (Fig. 42) ci dimostra che queste tre serie di astragali, nonostante le loro diverse misure, dovevano decorare gli elementi di un solo fregio fittile e che l'astragalo maggiore doveva correre sullo spigolo fra la fronte e la risvolta inferiore, entrambe dipinte, di ciascun elemento, mentre quelli delle altre due misure correvano sullo spigolo superiore o sul margine della risvolta inferiore.

Della superficie dipinta di cassette o geisa e di sime restano solo briciole di scarso significato, troppo minuscole perché si possa da esse ricostruire graficamente il motivo decorativo.

2) In un frammentuculo (A. 107; cm. 5 × 3,2) avremmo una piccola parte di un motivo a meandri in nero su bianco, come quello che compare sulla risvolta della già menzionata cassetta siracusana ad astragali.

Gli altri si riportano tutti al motivo della doppia treccia, anche se possono corrispondere a particolari varianti di esso.

3) Una piccola scheggia allungata (55 T II; lu: 7,5; la. 1,2 a 3) conserva un piccolo tratto dell'intersezione di due occhi della volute.

4) Di un altro (A 130; misure fr. 8 × 7,3; id. della superficie dipinta conservata 6,7 × 5,9) appartenente ad una lastra di forte spessore (cm. 3,6) resta parte di uno degli occhi di una treccia doppia e all'esterno di essa una foglia (rossa) della palmetta mediana (Fig. 43,e).

5) In un terzo (A 106; cm. 4,2 × 2,5) si riconoscono le linee curve che costituiscono il margine di una palmetta della quale restano piccole parti di due foglie l'una nera l'altra rossa (Fig. 43,d).

6) Un quarto (A 129; mis. fr. 3,8 × 4,5; della sup. dipinta 2,2 × 4,5) appartiene probabilmente anch'esso ad una delle palmette mediane della doppia treccia, ma è meno facilmente ricollegabile allo schema di essi (Fig. 43,c).

A elementi di sima possono essere riferiti due frammentuculi presentanti la superficie incurvata, tutti e due assai singolari.

7) L'uno di essi presenta il motivo a foglie arrotondate circondate da un sottile listello che compare con grande frequenza nelle terracotte architettoniche sceliote. Vi si riconosce la base di una foglia rossa e i due listelli di contorno della medesima e dell'altra foglia adiacente non conservata. Ma queste foglie dovrebbero nascere normalmente al di sopra di un cordone orizzontale a toro che divide la base della sima (quella che negli elementi corrispondenti ai lati lunghi porta i gocciolatoi) e la parte superiore concava, a foglie.

Qui invece si ha alla base un taglio che non è di frattura, ma è il margine originario della lastra, della quale pertanto è difficile capire il significato. (A. 43; mis. fr. 5,7 × 5,9; sup. dipinta 3,5 × 5. spess. lastra 2,7; Fig. 43,b).

8) L'altro pezzo appartiene alla normale gola concava della sima ed è spezzato in basso, sicché si deve pensare che vi fossero al di sotto il cordolo e lo zoccolo di base. Ma del tutto insolito è questa volta il motivo decorativo mal conservato, in cui peraltro si riconosce una spirale (posta forse alla base di una palmetta) che non ha confronto nelle terracotte templari siciliane fino ad oggi note. Il frammento conserva sul lato destro il margine della lastra. (A 14; Alt. fr. 11; La. 6,5; misure sup. dipinta 8 × 5,5; spess. lastra 2,7) (Fig. 43,a).

9) Ad un geison a superficie incurvata appartiene anche un piccolo frammento in cui si riconosce una sottile fascia curvilinea rossa. (A 28; misure fr. 13 × 7, id. sup. dipinta 8 × 3,7, spess. lastra 3,5).

10) Si ha anche un frammento del cuscinetto rigonfio che circondava l'attacco di un gocciolatoio tubolare alla lastra di sima.

Kalypteres?

1) Si potrebbe dubitativamente considerare come appartenente ad un kalypter un manufatto incurvato che non è in realtà a mezzo cilindro come dovrebbe essere un kalypter, ma che è piuttosto porzione di un tronco di cono che si va allungando dall'estremità tronca verso il margine frammentato. Il diametro di questo coppo incurvato all'estremità tronca può considerarsi di circa cm. 18-19.

Anche lo spessore del pezzo che a questa estremità è molto forte, raggiungendo i cm. 4,5, si va assottigliando verso il margine frammentato dove è di soli cm. 2,3.

La faccia tronca è ben levigata all'intorno per ciò che corrisponde al forte spessore della parete, ma all'interno di questo cerchio si riconosce traccia di un rilievo che doveva formare l'innesto per un elemento successivo. Sulla superficie biancastra dell'argilla si riconoscono forse incerte tracce di una possibile decorazione totalmente scomparsa. Ma non corrisponde ad intenzione decorativa l'annerimento che il pezzo presenta verso il basso. (A 126; Lu. fr. 14,3; La. 17) (Fig. 45,b).

2) Un piccolo frammento potrebbe corrispondere al margine inferiore di un elemento simile al precedente. È infatti sensibilmente incurvato (questa volta si direbbe piuttosto che tenda al mezzo cilindro); presenta all'estremità superiore uno spessore di cm. 2,4 e si rastrema con una faccia netta obliqua sul lato interno fino al margine spianato largo circa mm. 5. Sulla superficie esterna è una larga foglia di kymation dorico nera su fondo bianco. (A 26; Lu. fr. cm. 8; Alt. 6) (Fig. 45,a).

3) Di significato ignoto è un frammento che si presenta come una robusta tavoletta lunga cm. 9,5 avente due facce levigate e dipinte in colore bianco quella frontale (alta 5,2) e quella superiore ad angolo retto con essa (larga cm. 3,3), mentre la faccia interna obliqua e lo spianamento di base (largo cm. 1,2) non sono dipinti.

Superfici di frattura lungo il margine superiore interno e nella fascia abbassata dipinta in nero sul lato destro dimostrano che questo elemento faceva parte di un maggiore complesso.

ILLUSTRAZIONI

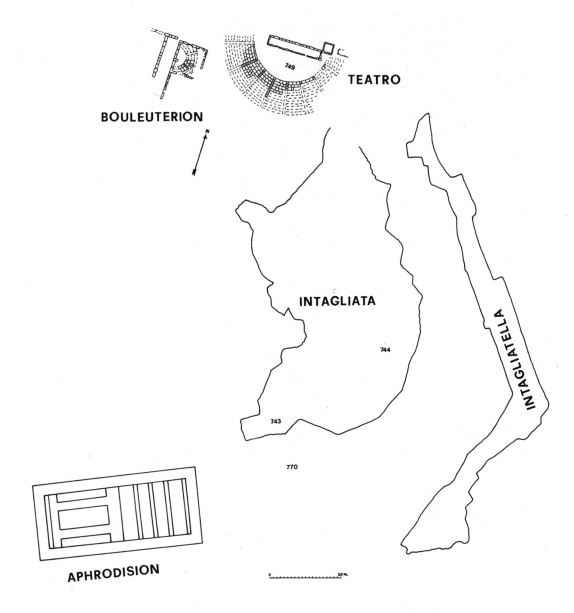

BOULEUTERION

TEATRO

INTAGLIATA

INTAGLIATELLA

APHRODISION

Fig. 1   La posizione dell'Aphrodision rispetto alle latomie urbane e al teatro.

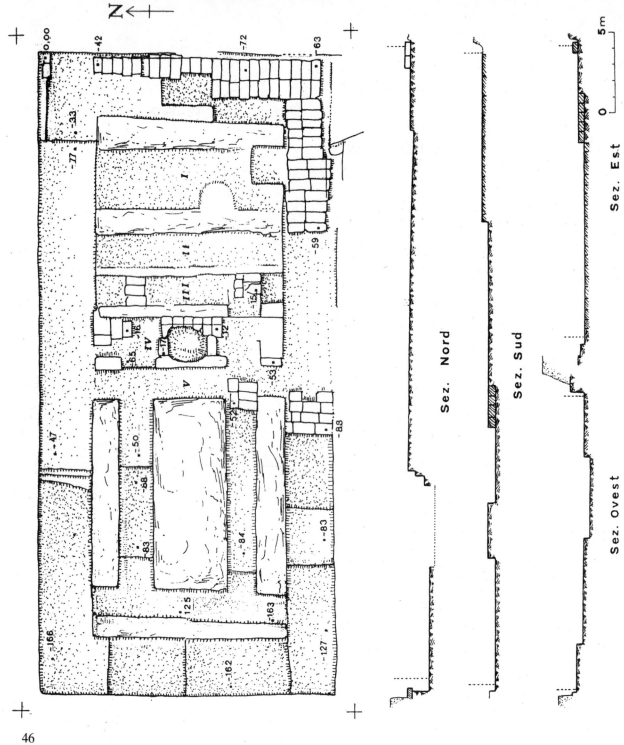

Sez. Ovest

Sez. Nord

Sez. Sud

Sez. Est

Fig. 2   Planimetria e sezioni dei resti del tempio allo stato attuale.

46

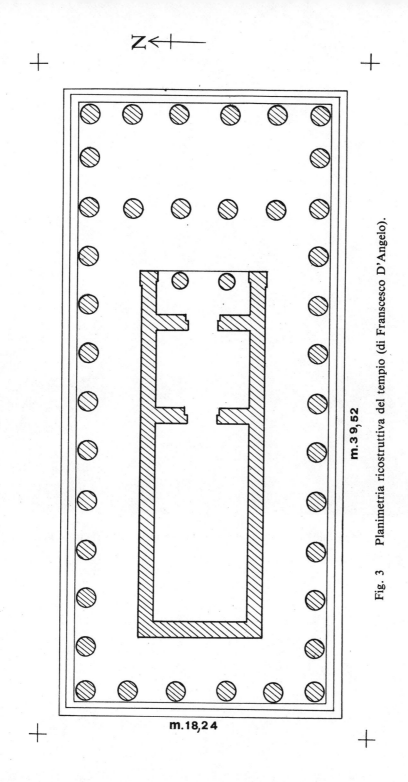

N←

m.39,52

m.18,24

Fig. 3   Planimetria ricostruttiva del tempio (di Franscesco D'Angelo).

47

Fig. 4   L'Aphrodision di Akrai al termine dello scavo 1953 (Foto S. Fontana).

Fig. 5   La fronte orientale vista da Nord (1983).

Fig. 6   La fronte orientale vista da Sud (1983).

Fig. 7   L'angolo SE (1983).

Fig. 8   Il primo spianamento trasversale interno, corrispondente al portico, o raddoppiamento della fronte, visto da Sud.

Fig. 9   Gli spianamenti di fondazioni interne trasversali visti da Est. In primo piano lo spianamento III in corso di scavo (1953).

Fig. 10   Gli spianamenti trasversali interni V, IV, III, II e I, visti da SO.

Fig. 11   Gli spianamenti trasversali interni visti da NO. In primo piano lo spianamento V (fronte della cella). Al centro la fossa che taglia lo spianamento IV (1983).

Fig. 12   Particolare della fossa (votiva?) che taglia lo spianamento IV (da Sud) (1983).

Fig. 13   Veduta d'insieme delle fondazioni del tempio da Ovest (1983).

Fig. 14   I tagli di fondazione della cella del tempio visti da Ovest (1983).

Fig. 15   Il lato lungo meridionale del tempio visto da Ovest (1983).

Fig. 16   I tagli di fondazione della fronte occidentale e del muro di fondo della cella (a destra) visti da Sud (1983).

Fig. 17   Il lato settentrionale del tempio visto da Ovest (1983).

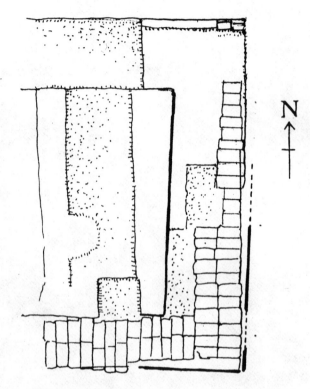

Fig. 18   Correzione dell'orientamento del tempio osservabile nei tagli di fondazione della fronte orientale.

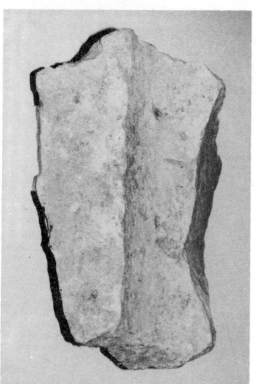

Fig. 19   (cat. 14) Scheggia del fusto di una colonna.

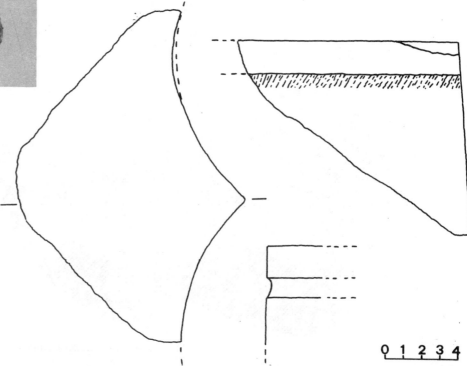

Fig. 20   (cat. 16) Scheggia della sommità del fusto di una colonna, presentante un collarino formato da un solco profondamente inciso e indicante la rastremazione all'estremità superiore.

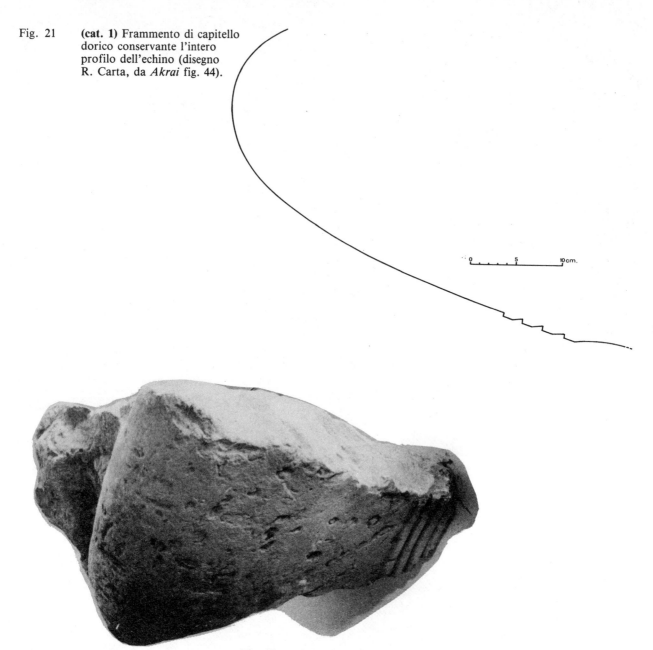

Fig. 21   (cat. 1) Frammento di capitello dorico conservante l'intero profilo dell'echino (disegno R. Carta, da *Akrai* fig. 44).

0   5   10 cm.

Fig. 22   (cat. 1) Lo stesso frammento esposto nell'antiquarium di Akrai.

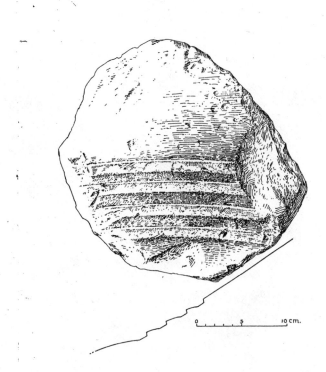

Fig. 23 **(cat. 2)** Frammento della base di altro capitello analogo al precedente (disegno R. Carta, da *Akrai* fig. 45).

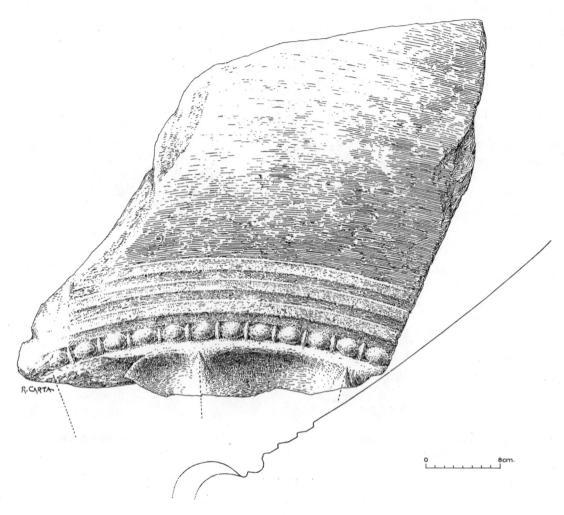

Fig. 24   **(cat. 3)** Scheggia di capitello decorato alla base con un astragalo (disegno R. Carta, da *Akrai* fig. 46).

Fig. 25   **(cat. 3)** Lo stesso frammento esposto nell'antiquarium di Akrai.

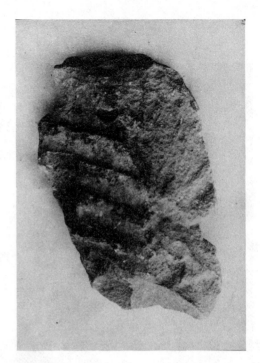

Fig. 27   (cat. 5) Scheggia di altro capitello conservante traccia dell'astragalo corroso.

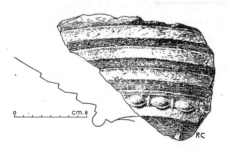

Fig. 26   (cat. 4) Piccola scheggia di altro capitello decorato con astragalo (disegno R. Carta, da *Akrai* fig. 47).

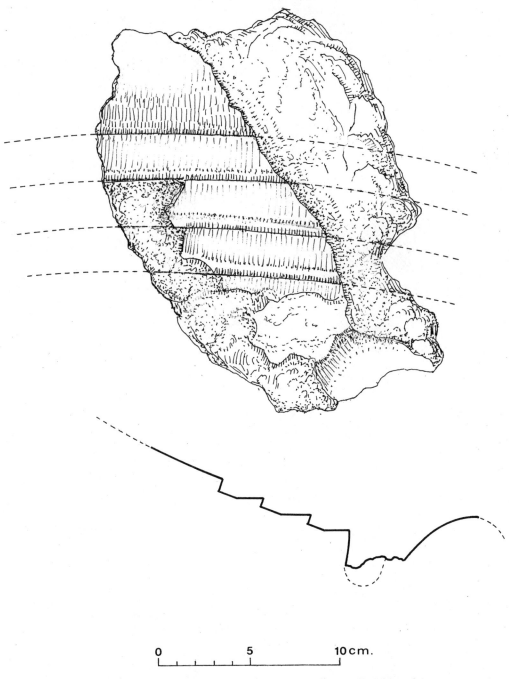

0   5   10 cm.

Fig. 28   **(cat. 5)** Lo stesso frammento (disegno F. D'Angelo).

Fig. 29   (cat. 1) Frammento comprendente la metà superiore di un triglifo (disegno R. Carta, da *Akrai* fig. 48).

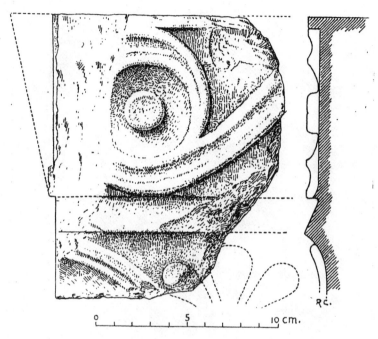

Fig. 30   (cat. 2) Frammento dell'angolo superiore sinistro di altro triglifo (disegno R. Carta, da *Akrai* fig. 49).

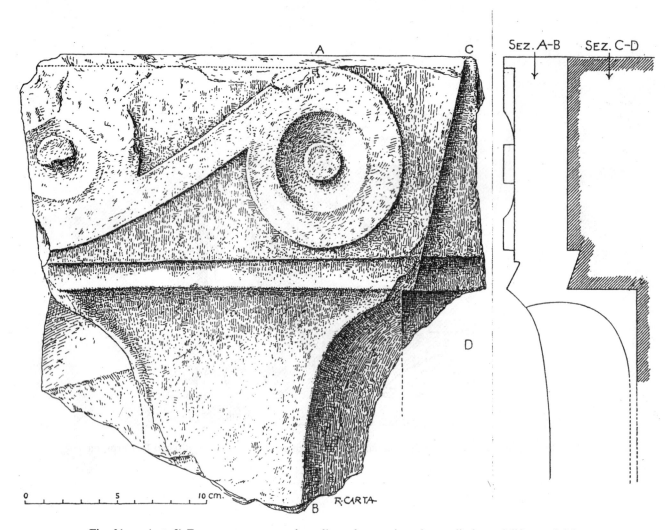

Fig. 31   **(cat. 3)** Frammento comprendente l'angolo superiore destro di altro triglifo con inizio della metopa adiacente (disegno R. Carta, da *Akrai* fig. 50).

Fig. 32 **(cat. 3)** Lo stesso frammento.

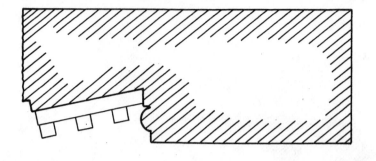

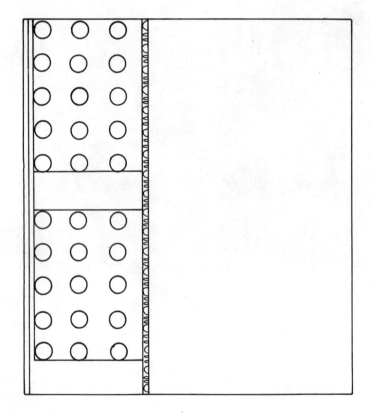

0   10   20   30   40

Fig. 33   **(cat. 1)** Elemento completo di geison (disegno F. D'Angelo).

Fig. 34   **(cat. 1)** Lo stesso pezzo.

Fig. 35   **(cat. 1)** Lo stesso pezzo, veduta laterale.

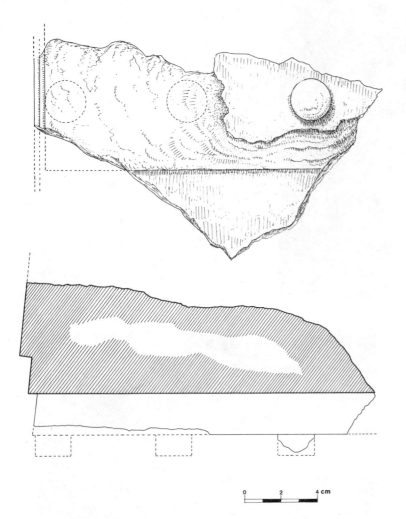

Fig. 37   (cat. 2) Lo stesso pezzo nell'Antiquarium di A[

Fig. 36   (cat. 2) Piccola scheggia di altro elemento (disegno F. D'Angelo).

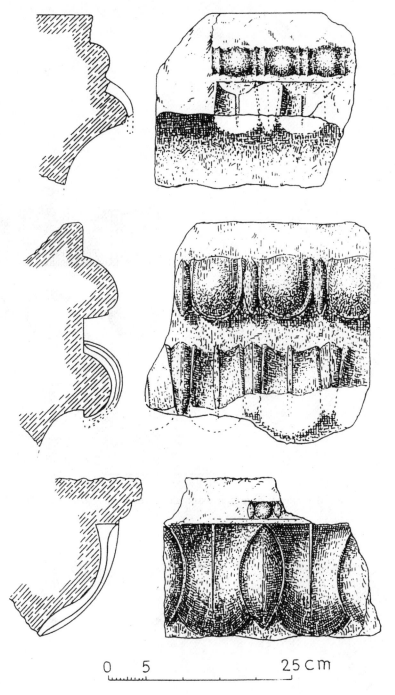

Fig. 38 **(cat. 2, 3, 1)** Frammenti di fregi con kymatia ed astragali (disegno R. Carta, da *Akrai* fig. 52).

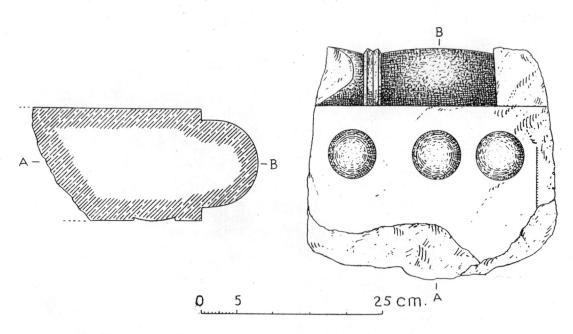

Fig. 39   (cat. 4) Elementi di grande astragalo (disegno R. Carta, da *Akrai* fig. 53).

Fig. 40   (cat. 5) Frammento di lastra con astragalo in rilievo (scavi 1953).

Fig. 41   **(cat. 1)** Frammenti di astragali di tre diverse misure che decoravano elementi del geison fittile («cassette»).

Fig. 42   Frammenti di un elemento di geison fittile (cassette) rinvenuto a Siracusa nell'area della Stazione ferroviaria analogo al fregio acrense (foto L. Guzzardi).

Fig. 43   Frammenti di terracotte architettoniche rinvenute nel 1953 nell'area del tempio. In alto frammenti di lastre di sima **(cat. 8** a sin.; **7** a destra)**. Al centro e in basso frammenti di lastre di geison **(cat. 6** al centro; **5** a sinistra; **4** a destra).

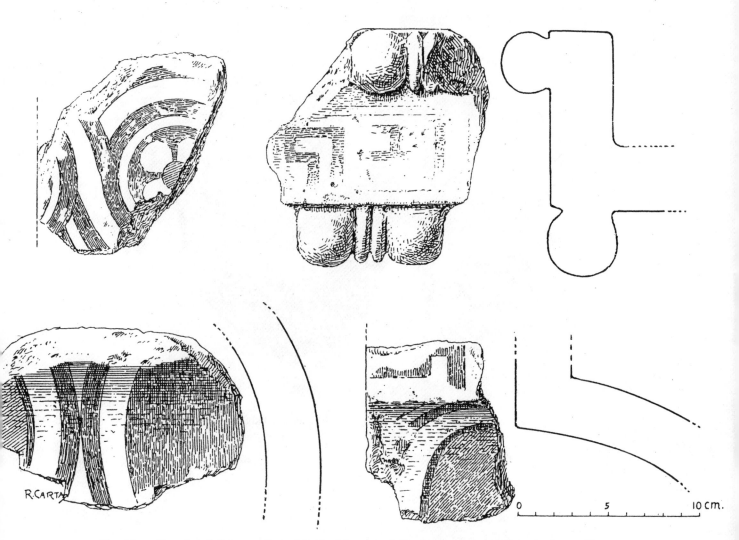

Fig. 44   Frammenti di terracotte architettoniche acrensi di cui non si conosce il preciso luogo di rinvenimento e che quindi potrebbero non appartenere all'Aphrodision (disegno R. Carta, da *Akrai* fig. 54).

Fig. 45   Due frammenti di probabili kalypteres.

Fig. 46   Frammenti di una guancia di altare con tutta probabilità riferibile all'Aphrodision (disegno R. Carta, da *Akrai* fig. 51).

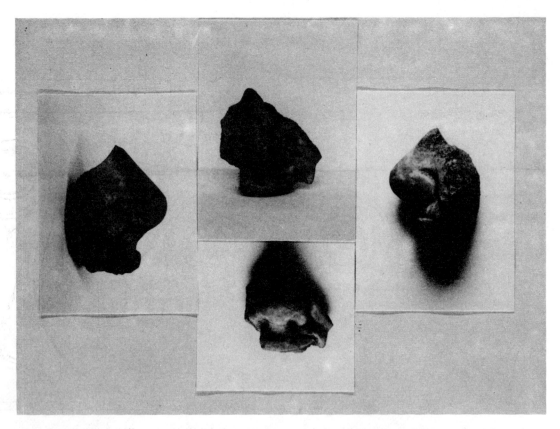

Fig. 47   Naso e labbro superiore di una grande statua di terracotta dipinta, trovato nel 1983 sul margine dello scavo del tempio.

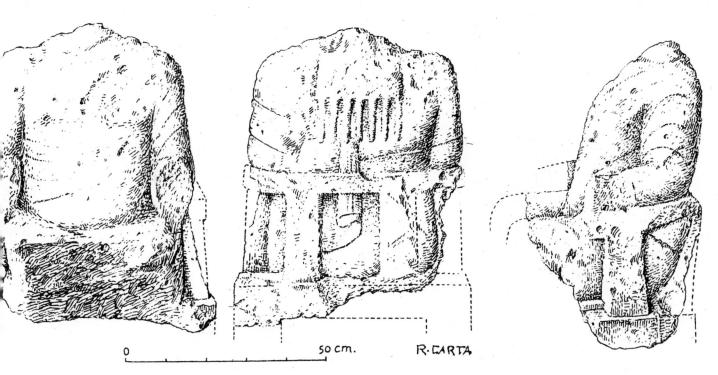

0   50 cm.   R·CARTA

Fig. 48   Statua di personaggio seduto in calcare locale trovato nella balza sottostante all'area del tempio (disegno R. Carta, da *Akrai* fig. 64).

Sommario

Tip. CENTENARI - Via della Luce 32/A - Roma